HARRIS COUNTY PUBLIC LIBRARY
3 4028 03921 7154
W9-BYJ-379

GUADALUPE PIMENTEL M.

MI NIÑA,
DUEÑA DE MI CORAZÓN

I Edición

VI VICARIA EPISCOPAL DE LA ARQUIDIOCESIS DE MEXICO

PLAZA SAN JACINTO 18 BIS
DELEG. ALVARO OBREGON
SAN ANGEL
01000 MEXICO, D. F.
TELS. 548-7363 548-0917
548-2010

México, D.F., a 7 de agosto de 1990.

SOR GUADALUPE PIMENTEL
HIJA DE LA CARIDAD
P r e s e n t e.

Reverenda Madre:

Habiendo revisado cuidadosamente el Libro "MI NIÑA, DUEÑA DE MI CORAZON", tengo el agrado de concederle la autorización para que sea impreso, conforme al original que me ha presentado.

Es, además, un grato deber el felicitar a Usted por esta magnífica Obra que, sin duda, contribuirá grandemente a proporcionar a nuestro pueblo creyente, en una presentación y lenguaje muy atractivos, conocimientos sólidos e interesantes acerca de las Apariciones de la Santísima Virgen María de Guadalupe y de las repercusiones que tal hecho ha tenido en la formación y desarrollo de nuestra nacionalidad.

Con afecto en el Señor Jesús.

+Francisco Ma. Aguilera G.

+FRANCISCO MA. AGUILERA GONZALEZ
Obispo Auxiliar de México
Vicario Episcopal VI Zona Pastoral.

VI Vicaria Episcopal de la Arquidiocesis de México "San José"

NIHIL OBSTAT

P. VICENTE FINNERTY FOLEY C.M.
P. Vicente Finnerty Foley, c.m.
DIRECTOR PROVINCIAL DE LAS HIJAS DE LA CARIDAD DE MEXICO.

DIBUJOS: Rafael López Gómez

1ª edición, 1998

Av. Taxqueña 1792 - Deleg. Coyoacán - 04250 México, D. F.

Impreso y hecho en México
Printed and made in Mexico

ISBN: 970-612-228-1

DEDICATORIA

Madre y Reina de México, Emperatriz de América,
con amor y para realizar tu deseo:

un templo en cada corazón de los habitantes de esta tierra
un templo en cada hogar
un templo en toda tu República Mexicana
en América Latina,
en el mundo entero.

PRESENTACIÓN

Les presentamos con gran alegría, por tratarse de nuestra Madre, este libro: MI NIÑA, DUEÑA DE MI CORAZÓN, especialmente escrito para las Asociaciones Guadalupanas, Marianas, y para todos los agentes de pastoral y el pueblo en general, a fin de que conozcan lo esencial del Mensaje de Santa María de Guadalupe, que todo mexicano debe saber para amar más y comprometerse totalmente en el "Proyecto Guadalupano" de experiencia de Dios y difusión del Evangelio con la vida y la palabra, la fraternidad, la superación constante, la liberación y el progreso en todo lo bueno y noble... y principalmente con ser "constructores" del templo que nos pide la Señora del cielo, en nuestra vida personal, familiar, parroquial, profesional y social.

La obra consta de

Una breve introducción histórica acerca de nuestras raíces mexicas y de los personajes involucrados en el acontecimiento guadalupano: Juan Diego, Antonio Valeriano, Ixtlixóchitl.

El *Nican Mopohua,* con su correspondiente comentario. Y los dos Documentos más antiguos con que se cuenta: *Inin Huey Tlamahuizoltzin (Esta es la gran maravilla)* y la descripción de la *imagen*. Reseña sobre el templo, que a través de los siglos siempre se ha venido construyendo, mejorando, ampliando; y también del "templo comunidad" que nunca acaba de construirse: las comunidades eclesiales que vienen a la Basílica en peregrinación.

Información sobre lo que ha significado la Virgen de Guadalupe para la patria: su Independencia, sus héroes, su progreso.

Y todas las señales portentosas que nos dejó: el ayate, con su imagen y simbología, el milagro de la pintura, la vida en sus ojos, el códice náhuatl que es la imagen misma y, por último, una breve cronología del México Guadalupano.

Todos los temas traen su respectivo cuestionario, reflexiones, compromisos... para facilitar el conocimiento y la asimilación.

Por su gran riqueza habrá que asimilar más profundamente los dos temas siguientes:

1) El Nican Mopohua.

2) Signos y símbolos de la Iglesia y de la Virgen de Guadalupe. Por las citas bíblicas y el *Nican Mopohua*, todo el tema en sí puede ser una dinámica de equipo para el estudio y el compromiso de los diversos grupos eclesiales.

Que mi Niña, la más hermosa, la dueña de mi corazón, acepte y bendiga este trabajo en su honor.

LOS AZTECAS, SUS DIOSES Y SUS GUERRAS. NEZAHUALCOYOTL Y PAPANTZIN

Los aztecas vinieron del norte, de un lugar llamado Aztlán (lugar de las garzas blancas). Peregrinaron por largos años, recorrieron gran parte del Anáhuac; venían guiados por sus sacerdotes o caudillos: Mexic y Tenoch.

Al llegar al valle de México se establecieron en Chapultepec, pero fueron atacados por los pueblos de Azcapotzalco, Xaltocan y Coyoacán. Tuvieron que huir a Atlacuihuayan (hoy Tacuba). Desde allí solicitaron humildemente al Señor de Coyoacán unas tierras donde vivir. Con deseos de que allí perecieran, les concedió las tierras de Tizapán (hoy el pedregal de San Angel), región árida y pedregosa, llena de culebras. Pero los aztecas fertilizaron esas tierras, domesticaron las culebras, con las cuales se alimentaban, y ante la admiración de todos comenzaron a tener una vida muy próspera, tanto que los de Coyoacán los invitaron de aliados en la guerra contra los xochimilcas. En esta guerra los aztecas demostraron mucho valor e hicieron el mayor número de prisioneros.

Sintiéndose fuertes, quisieron hacer la guerra a los mismos de Coyoacán. Como pretexto, le pidieron al rey de Coyoacán que les entregara a su hija para convertirla en reina y madre de Dios, Huitzilopochtli. Muy halagado el padre por el destino tan honroso que esperaba a su hija, con alegría y pompa se las entregó. Pero los aztecas la sacrificaron y con su piel vistieron a un mancebo y le pusieron luego los vestidos de la joven. Enseguida invitaron al Señor de Coyoacán, para que viniera a rendir homenaje a su hija convertida en diosa (más adelante hablaremos de esta joven idealizada). El padre, ignorante de todo, se presentó con su séquito, pero al darse cuenta de la burla y crueldad con que habían tratado a su hija, lleno de ira declaró la guerra a los aztecas y, tras muchas batallas sangrientas, logró arrojarlos fuera de Tizapán. Otra vez, erraron por Mexicaltzingo, Ixtacalco y, por fin, después de grandes trabajos, se refugiaron en un islote en la parte occidental del lago de Texcoco, donde encontraron, sobre un nopal, un águila devorando una serpiente, que según la leyenda era la señal del sitio donde debían establecerse. Y en 1325 fundaron la ciudad de México-Tenochtitlán en honor a sus dos caudillos Mexic y Tenoch. Para construir su capital sobre la isla, y afirmarse política y militarmente en los alrededores de todo el valle, duraron más de cien años. Prácticamente hasta su cuarto emperador, Izcóatl (culebra de pedernal), llegaron a ser totalmente libres y soberanos (1427-1440).

Tenoch ordenó la construcción de pequeñas canoas en las que transportaban hombres y enseres hasta el islote más grande, donde se había de fundar Tenochtitlán, "nopal sobre piedra", o ciudad de Teñoch.

Trazada la urbe primitiva, con su plaza, su templo y las distintas casas, el paso siguiente fue tender una calzada, hacia el norte, de donde habían venido, que uniese la incipiente ciudad con el Tepeyacac y los demás cerros, de los que traerían madera y piedras para sus futuras construcciones. Era la primera de las cuatro grandes calzadas posteriores: Guadalupe, Tacuba, Ixtapalapa y Xochimilco.

La ciudad creció y dos siglos después llegó a su apogeo. Donde se construyeron majestuosos palacios, tres grandes calzadas y levantaron el gran *Teocalli* o Templo Mayor, alrededor del cual fincaron muchos edificios y pirámides para sus dioses, pues eran idólatras.

Como Tenochtitlán fue construida en el lago, cruzada por muchas acequias con sus puentes. Cuando llegaron los españoles se maravillaron por su belleza y buena organización.

El corazón del imperio latía alrededor de la plaza mayor, que era un amplio recinto de carácter religioso y cívico. Cerca de donde está la Catedral Metropolitana había una gran pirámide con dos templos gemelos dedicados a los ídolos Tláloc y Huitzilopochtli. Al centro se encontraba el templo de Quetzalcóatl. Más abajo estaban dos pirámides: la del sol (Tonatiuh) y la de la luna (Tezcatlipoca). El magnífico palacio del Emperador, con sus 300 suntuosos aposentos, se ubicaba al oriente del conjunto. Actualmente se levanta allí el Palacio Nacional. Por el occidente estaba el palacio de Atzayácatl, padre de Moctezuma (donde estuvieron alojados Hernán Cortés y sus hombres), de este mismo lado se observaba un *cuicaculli* o casa de cantos, especie de escuela de artes. Otros edificios eran palacios dedicados a diversos fines, como los del *telpochcalli* y *calmecac,* escuelas dedicadas a la juventud, y otros que eran artesanales. También se había diseñado un lugar para el juego de pelota. Todo esto rodeado por el *coatepantli* (muro de serpientes). Dentro del vasto recinto se festejaban diversos eventos religiosos, populares, cívicos y militares.

La ciudad se dividía en cinco distritos, cada uno con su templo, mercado, escuela y sección residencial. Los palacios de los nobles eran construcciones enormes, parecidas a las casas suntuosas del antiguo Egipto. Las casas de la clase media, aunque más modestas, eran de ladrillo, y su fachada estaba emplastada y pintada de colores. Tenían unos 7000 mil edificios de todas clases y una población numerosa. Tan hermosa era que cuando llegaron los españoles y vieron desde la montaña esta esplendorosa ciudad, creyeron que habían llegado a Amadís, ciudad fabulosa de las novelas de ese tiempo.

No faltaron guerras intestinas y contra las tribus vecinas. Una parte de la tribu se separó de Tenochtitlán y fundó el reino rival de Tlatelolco, famoso muy pronto por su gran mercado. Luchando ambos bandos entre sí sucumbió al fin Tlatelolco, ante Axayácatl, sexto rey de Tenochtitlán (hacia 1473), el cual, uniendo ambos islotes, hizo la ciudad definitiva Mexith, otro nombre de Huitzilopochtli, dios de la guerra.

El guerrear, primero, tuvo fines defensivos; pero después fue para dominar a las gentes vecinas y constituir un Imperio. Todo lo cual hizo de éste un pueblo recio, altivo, duro y batallador; pero a la vez con una característica muy peculiar: la de ser profundamente religioso, audaz y valiente. Sus continuas guerras primero fueron para defenderse, luego para afirmar su imperio, que se extendía desde el Pacífico al Golfo y, por fin, para dar expresión y cauce a su profundo espíritu religioso: la guerra para ellos tuvo dimensiones sociales, académicas y religiosas. Así encontramos:

In mitl in chimalli: la guerra social.

Xochiyaotl: la guerra florida, como prácticas de entrenamiento militar.

La guerra sagrada: como visión huitzilopóchtlica del mundo, eje de la vida personal, social y nacional, y como mandato divino. La guerra era un aspecto simbólico y real de la vida en la sociedad azteca.

Creían los aztecas en un Ser Supremo "por quien vivimos", sin el cual el hombre es como nada; un "Ser bajo cuyas alas se encuentra reposo y defensa", expresiones que se reflejan y repiten en el diálogo entre la Virgen y Juan Diego. Pero junto a ese Dios "por quien se vive", también profesaban culto a varias divinidades: de la lluvia, de la sal, del fuego, etc., todas ellas con sus templos y sus fiestas en alguno de los 18 meses en que dividían el año.

Algunos dioses principales

El sacerdocio tenía mucho prestigio, y estaba abierto a cualquiera de la clase media para arriba. La religión exigía sacrificios humanos para sus principales dioses, que eran:

Huitzilopochtli: dios de la guerra (el Colibrí Suriano). Ya que por su etimología, del náhuatl *huitzitzillin* = colibrí, y *opocintli* = del sur o zurdo. Según sus mitos los había guiado en su migración, señalándoles el lugar donde debían establecerse y profetizar su futura grandeza. Encarnando al sol.

Tláloc y Chalchihutlique, dadores de lluvias y tempestades.

—*Xiuhtecutli,* dios del fuego.

—*Tonatiuh,* el padre sol y astro del día.

—La brillante *Maxtli* o plateada luna.

Tonantzin (Madre de las gentes), a la que también llamaban *Teotenantzin* (Madre de los dioses), *Tenantzin* (Madre nuestra) y *Cihuacoatl* (Mujer de la culebra); tenía una pirámide, construida por los aztecas en el Tepeyac, para su culto (la joven que habían idealizado y sacrificado, hija del Señor de Coyoacán).

Quetzalcóatl, la Serpiente Emplumada, era el dios de la creación, de la sabiduría, del viento, del planeta Venus. Hubo dos Quetzalcóatl: el ídolo, la Serpiente Emplumada, y el otro rey-profeta que vivió en Cholula. Éste les enseñó algunas cosas sobre civilización y otra forma de religión con ideas más humanas: pugnó porque se hicieran ofrendas de objetos y animales: jade, serpientes, mariposas... en lugar de los sacrificios humanos. Bernardino de Sahagún, en su *Libro XII, cap. 3, 5,* nos dice:

Quetzalcóatl. Algunos sabios guardaban sus pensamientos, por haber enseñado a otros pueblos antiguos, que existe un solo Dios a quien hay que buscar con el pensamiento y el corazón. Un Dios que rechaza los sacrificios humanos.

Quetzalcóatl había vivido en Tula. Lo recordaban como un gran maestro en la agricultura, y en todas las artes y un gran jefe religioso que organizaba muy bonito la comunidad.

Unos brujos estaban empeñados en introducir sacrificios humanos en Tula y él se opuso porque para él su Dios no era cruel y amaba la vida. Por eso fue al Oriente, hacia el mar, de donde prometió regresar un día.

Creían en su sacerdote Quetzalcóatl, y de tal forma eran obedientes y dados a las cosas de Dios, que todos creyeron en Quetzalcóatl cuando éste abandonó Tula.

Le confiaron sus mujeres, sus hijos, sus enfermos. Ancianos y ancianas le acompañaron: nadie dejó de seguirle, todos se pusieron en movimiento. Y se fue enseguida, al interior del mar, hacia la tierra color roja, allí fue a desaparecer, él, nuestro príncipe, Quetzalcóatl (*Códice Matritense,* Fol. 100).

Con el tiempo acabaron creyendo que Quetzalcóatl, a quien respetaban como a un gran hombre de bien y un profeta, era un dios; decían que no tardaría en regresar y buscaban señales de su vuelta en el cielo.

Netzahualcóyotl. El Dios verdadero ya había manifestado su existencia a Netzahualcóyotl, rey de Texcoco, en 1464.

Este rey abandonó la religión pagana y construyó templos al único Dios. En esos altares se le ofrecían flores e incienso. Poco antes de su muerte, Netzahualcóyotl hizo un gran discurso que terminó con estas palabras: *¡Cómo lamento que no pueda comprender la voluntad del Dios inmenso, pero creo que vendrá el tiempo cuando sea conocido y adorado por todos los habitantes de estas tierras!*

Le sucedió en el trono de Texcoco su hijo Netzahualpilli. Como su padre, Netzahualcóyotl, también él gustaba de la astronomía y de las meditaciones filosóficas. Su devoción al Dios verdadero fue recompensada y bendecida y se le conoce como el hombre más sabio de su tiempo.

Papantzin. Tlatelolco, antigua rival de Tenochtitlán, célebre por su gran mercado y conquistada por los aztecas, estaba gobernada por la princesa Papantzin, hermana de Moctezuma II o Xocoyotzin, quien sorteado entre los cuatro sobrinos de Ahuitzótl, fue elegido Emperador de los Aztecas en 1502.

Tlatelolco dista como dos kilómetros del centro, que es la plaza principal de la ciudad de México. Para una localidad de su tamaño, su importancia en el imperio azteca era enorme. Allí estaba situado un templo monumental a Huitzilopochtli, el dios de la guerra de los aztecas. La mayoría de los sacrificios humanos se ofrecían a este ídolo.

La princesa Papantzin iba a tener un papel decisivo en la historia de México. En 1509 tuvo un sueño sobre la próxima llegada de los españoles. En donde observó que estaba a orillas de un inmenso mar, guiada por quien después supo era un ángel. Vio varios barcos que le parecieron muy grandes. En las velas traían pintadas unas cruces negras, que era la misma cruz que el ángel tenía en la frente, y después en el broche usado por la Virgen de Guadalupe. El ángel le dijo a Papantzin que pronto vendrían del Oriente hombres blancos que se apoderarían del Anáhuac, y que traían el conocimiento del verdadero Dios a todos los mexicanos. También le dijo él que ella sería la primera en recibir las aguas que purifican el pecado. Fue bautizada en 1525, con el nombre de Doña María.

Le comunicó a Moctezuma su sueño, éste era hombre inteligente y religioso, conocía bien la historia y tradiciones de su pueblo, vivía abatido y triste pensando en lo que había soñado su hermana y sobre todo porque recordaba la llamada "profecía de Quetzalcóatl", el cual al abandonar la tierra del Anáhuac, había dicho al pueblo que con el tiempo vendrían hombres blancos como él, del Oriente, y se harían dueños de esas tierras.

Netzahualpilli, poco antes de morir en 1515, le señaló al Emperador Moctezuma que soñó que él (Moctezuma) pronto perdería el trono, porque invasores de allende el mar vendrían a enseñar la verdadera religión.

La aparición de un cometa, la erupción de un volcán y otros sucesos aumentaron sus temores: consultó con astrólogos y lo confirmaron en sus preocupaciones.

En 1519 se cumplieron las predicciones: llegaron los españoles. Los sueños fueron un factor importante para que Moctezuma capitulara ante Cortés.

1519: Hernán Cortés desembarca en Veracruz, y llega a Tenochtitlán; Moctezuma, temeroso por las profecías, lo recibe en paz.

Quetzalcóatl a la llegada de los españoles

A la llegada de los españoles, Moctezuma envió algunas personas. Estos no fueron más que a explorarlo. Bajo pretexto de que iban a venderles mantas ricas, cosas bien acabadas y a ver qué clase de gente eran.

Cuando estuvieron frente a ellos hicieron la ceremonia de tocar la tierra y los labios, estando a la punta de su barca. Tuvieron la opinión de que era el príncipe Quetzalcóatl que había regresado.

Presurosos fueron a darle la noticia a Moctezuma, quien a su vez envió mensajeros. Era como si pensara que el recién llegado fuera el príncipe Quetzalcoátl. Así estaba en su corazón: venir acá. Vendrá para conocer su sitio de trono y solio. *Sahagún, Libro XII, cap. 3, 5.*

Moctezuma llevó a Cortés y a sus capitanes a visitar el gran *Teocalli;* Cortés, disgustado al ver aquellos ídolos ensangrentados, les dijo que iba a demostrarles que el Dios de los cristianos vencería a sus impotentes ídolos, y con una barra echó a rodar los ídolos colocando en su lugar una cruz y una imagen de la Virgen.

Estando ausente Cortés, sus soldados atacaron a los aztecas, éstos se defendieron valientemente y suspendieron el envío de víveres que les mandaban todos los días a los españoles y les negaron el agua. Al llegar Cortés a Tenochtitlán encontró al pueblo sublevado y atacando a los españoles día y noche, y se vieron precisados a abandonar la ciudad. Salieron la noche del 30 de junio de 1520. Esta huida fue trágica, había tormenta, todo en tinieblas, españoles y caballos caían en los canales, los indios atacaban con flechas, lanzas y macanas.

Vio Cortés que había perdido a muchos de sus valientes compañeros; algunos estaban heridos y, al llegar a Popotla, cerca de Tacuba, lloró bajo un ahuehuete (que aún se conserva ahí); ésta fue la famosa "noche triste".

Ese mismo día, 30 de junio, los españoles dieron muerte a Moctezuma y toma el poder Cuitláhuac; muere éste y sube al trono Cuauhtémoc (Águila que cae). Vuelven los españoles y, tras de resistir heroicamente 72 días de sitio, Cuauhtémoc fue hecho prisionero el 13 de agosto de 1521, terminando ese día el gran imperio azteca en Tlatelolco (hoy plaza de las tres Culturas).

Los españoles pronto destruyeron la parte superior de la pirámide de Huitzilopochtli y usaron los materiales para construir la Iglesia de Santiago, en ese mismo lugar de Tlatelolco. Aquí venía Juan Diego a misa cuando se le apareció la Señora del Tepeyac.

Reflexión, trabajos, compromisos

1) ¿Conoces la historia de México, y las poesías de Netzahualcóyotl?
2) ¿Qué papel relevante tuvo la princesa Papantzin a la llegada de los españoles, y por qué?
3) ¿Qué actuación importante tuvo Netzahualpilli?
4) ¿Qué admiras más de los aztecas y por qué?
5) ¿Qué novedades para tu pastoral aporta este breve capítulo?

JUAN DIEGO

Cuauhtlatóhuac-Juan Diego

Si Juan Diego nació en 1474 y se bautizó en 1524, significa que le tocó vivir conscientemente desde Cuauhtitlán, su terruño, todo aquel período histórico crítico, moldearse con el sistema de valores culturales que se iban gestando en su pueblo.

No hay certeza de las fechas, pero para nuestro propósito nos interesa la aproximación de uno de los autores: Acosta.

Acamapitzin	1384
Huitzilihuitl	1424
Chimalpopoca	1427
Itzcoatl	1437
Moctezuma I	1449
Tizoc	1477
Axayacatl	1481
Ahuizotl	1492
Moctezuma II	1503

En la estratificación social se encontraban los gobernantes *(teachcautin),* divididos en cuatro clases de nobleza: *tlaloques, tectecuchtzin, calupllec* y *pipiltzin.* Había un grupo social intermedio integrado por los comerciantes (*pochteca*) y la gente del pueblo que eran los *macehuales.* Más abajo estaban los *mayeques* (agricultores en tierras lejanas) o *tlamatitl* y, finalmente, los esclavos.

Cuautlatóhuac pertenecía a los *macehuales.*

El *calpulli* era una organización político-social que consistía en un grupo cultural que tenía su fundamento en los lazos de sangre y territorio.

El alma indígena sintonizaba con su paisaje: el zumo de los magueyes, la herencia del maíz donada por los dioses, el sabor del cacao, imprimían una fisonomía especial al pueblo azteca.

Esta alma se modelaba en las escuelas. Existían dos tipos de escuela: el *calmecac,* para los nobles, y el *telpochcalli,* para los *macehuales.* En esta última se preparaba a los muchachos para la guerra y se les impartían conocimientos de religión, historia, costumbres, danza, canto, enseñanza moral e instrucción cívica.

Había un *telpochcalli* en cada *calpulli.*

Cuautlatóhuac nació en el tiempo de Moctezuma I; le tocó participar de la educación en el período de Tizoc; vivió el impacto religioso de Ahuizotl. Durante ese mismo reinado entró a la escuela *tepochcalli.* Se ejercitó como guerrero, se desarrolló como hombre, se casó (con María Lucía) en el período de Moctezuma II, sintiendo todas las incertidumbres de una religión amenazada que bailoteaba con profecías y peligros de la llegada de nuevas gentes. Vivió la zozobra de la llegada de los españoles. Fue testigo de la conquista de México. Cuando dos emperadores intervinieron en la defensa heroica de su nación: Cuitláhuac y Cuauhtémoc.

De niño le tocó vivir la expansión de los tlatoani: Moctezuma I, Axayacatl y Tizoc. Probablemente tuvo que participar en las mismas guerras, sobre todo, en las floridas: *xochiyaótl.* Presenció, con religiosidad escalofriante, el culto que cada cuatro años se celebraba en Cuauhtitlán, en honor del fuego, para el que sacrificaban dos esclavas desollándolas, y con cuya piel se ataviaban los sacerdotes. Cuando Cuautlatóhuac era niño, de unos ocho años, en México se realizaba una transformación espiritual interna que tocó la fisonomía y mística con que se inspiraban los aztecas en Quetzalcóatl, por la influencia de un filósofo, pensador, y consejero de los reyes: Tlacaelel, quien "decidió consolidar por medio de una reforma ideológica el poderío azteca".

Y después de las *Cuatro Edades* que habían vivido y que habían pasado, tocaba ahora participar de la *Quinta Edad,* o *Quinto Sol.* Para los toltecas esto era concebido en un plano personal: *"con un rostro sabio y un corazón firme llegará el Tloque Nahuaque".*

Ya con responsabilidad, Cuautlatóhuac pudo presenciar emotivamente en 1487 a los trece años la construcción del templo de Huitzilopochtli, con un cortejo imponente de sacrificios que desde hacía doscientos años se venían realizando, presenció el estrujamiento que para los mexicas significaba el cambio de año (1506), en que se encendía el *Fuego Nuevo.*

Al mismo tiempo impactaba la pirámide del Templo Mayor, la cual contenía los dos adoratorios gemelos de Huitzilopochtli, dios de la guerra, y de Tláloc, dios de la lluvia, en el culto de Axayacatl (que había muerto en 1481), que se tributaba recientemente al *Tloque Nahuaque,* que es la Divinidad de la cual todo lo existente procede y está por encima de los propios dioses creadores, pues es inmaterial e intemporal.

Este edificio monumental (la pirámide) reflejaba la convicción mística y teogónica de los aztecas, expresión de su mística guerrera y de su poderío conquistador.

Cuautlatóhuac sentiría el orgullo de todo mancebo que vivía una religiosidad sensible con sus dioses.

La ferocidad de Huitzilopochtli —sol que desaparecía al sentir que luchaba con la noche—. Y de la aportación que se le diera con la sangre *(chalchihuatl)* y la guerra florida *(xochiyaótl)* se sostenía el universo. Entre sanguinario y protector, estaría Tezcaltlipoca, Tláloc, el dios de la lluvia, y luego todo aquel cortejo de dioses que en su conjunto formaban una red misteriosa de grandeza y protección: Tonantzin, Coatlicue, Tlalzecutl, que sin embargo, se vaciarían ante la magnificencia del dios de la dualidad Ometéotl y Omecihuatl, o llanamente se anegarían en el *Tloque Nahuaque* y en el *Ipalmenoani,* a donde también la espiritualidad de Cuautlatóhuac se desbordaba.

Total, Cuautlatóhuac recogió en su alma mística belicista de Tlacaelel, el *Tloque Nahuaque* de Netzahualcóyotl, la flor y el canto de los poetas (*tlatimine*) de Huexotzingo. Finalmente Juan Diego por ser cristiano saboreó la intimidad de Jesucristo siguiendo los consejos evangélicos con la predicación de Motolinía y llegando a la cumbre de la contemplación guadalupana.

Fue Juan Diego natural de Cuauhtitlán
Nació de padres humildes

Cuauhtitlán, cuya fundación por las primeras corrientes nahuas se pierde en el tiempo, se llamaba Huehuecuauhtitlán, o sea vieja o antigua ciudad.

Las tribus colhuas, nonoalcas y chichimecas que fueron llegando a través de los siglos, se incorporaron a ella, y fue en el 691 de nuestra era cuando se fundó el extenso señorío, según se asienta en *los Anales de Cuauhtitlán* o *Códice de Chimalpopoca;* esta ciudad es una de las más antiguas del Valle de México. Fue conquistada por los toltecas y más tarde por los texcocanos. Por los aztecas entre 1396 y 1417, con la que hicieron alianza, y en el año de 1439 fue dominada por los tecpanecas de Azcapotzalco, según los mismos *Anales de Cuauhtitlán.*

Los temibles caballeros águila *(cuauhtli)* y los caballeros tigre *(ocelot)*, formaban parte de las órdenes militares, muy distinguidas en la guerra.

Los cronistas consideran a Cuauhtitlán como una ciudad de mucha importancia en la antigüedad, con numerosa población y con magníficas y notables arboledas, sitio de agricultura y principalmente de las industrias de alfarería y tejidos.

Su jeroglífico significa "junto", "cerca de" o "entre los árboles"; en su composición presenta un árbol, con sus raíces y sus ramas, cuyo tronco está siendo mordido por una quijada abierta (*entre*); se nota una franja diagonal (cultivos agrícolas) y la cabeza de la diosa Tlazolteotl colgante (la diosa de los tejedores), y dos husos o malacates de hilar con los grumos e hilos de algodón (industria de hilados y tejidos).

Ciudad religiosa, adoraba al gran Tonatiuh, el Padre sol y astro del día; a la brillante Maxtli o plateada luna; a las luminosas estrellas y a la tierra madre; ciudad que por su sencillez mostraba buenas disposiciones para recibir la luz de la verdad eterna.

Esta ciudad, capital del Señorío de su nombre, fue la patria del mensajero de las rosas del prodigio guadalupano, la cuna del confidente de María, el benjamín de la Madre de Dios en América.

En este Cuauhtitlán escogido del mundo de Colón, bajo el reinado de Ayactzin, uno de los últimos reyes, nació en el año de 1474 el héroe de nuestra espiritualidad indígena, el ciudadano más digno de nuestra patria. Así lo afirma claramente D. Luis Becerra Tanco, en su "*Felicidad de México*" (4ª Edición 1785, p. 568), y el gran investigador autóctono D. Fernando de Alba Ixtlixóchitl, historiógrafo del siglo XVI, en su *Nican Motecpana*.

El nombre que llevó en la gentilidad fue Cuauhtlatoatzin. La partícula desinencial "*tzin*" es diminutiva o reverencial. Eliminándola queda el nombre: Cuaultlatoahutaoc, el cual se descompone en los siguientes elementos "*Cuautli*": águila; "*tlatoa*": hablar y "*huac*": como. Así, etimológicamente, significa: *El que habla como águila.* El nombre azteca lo conocemos por el veraz y autorizado historiógrafo Pbro. D. Carlos de Sigüenza y Góngora, quien lo consigna en su *Piedad Heroica de Don Hernando Cortés,* cap. IX.

Cuando Juan Diego nació, Cuauhtitlán formaba parte del gran señorío azteca, por la conquista llevada a cabo por el *tlacatecutli Huitzilihuitzin,* por los años 1396 a 1417. Así vemos que la ciudad está dividida en *calpullis* o barrios.

El *calpulli* de Tlayacac, después llamado de Santa María de Tlayacac, fue uno de ellos.

Estas tierras no eran propiedad privada de nadie en particular sino del *calpulli,* en común, y el que las poseía no las podía enajenar, sino que gozaba de ellas de por vida y las podía dejar a sus hijos y herederos. Si todos los de una casa se acababan, entonces las tierras del *calpulli* y el *chinancallec* pasaban a quienes las necesitaban dentro del mismo barrio.

Por eso Juan Diego y Juan Bernardino tenían en el *calpulli* de Tepeyac sus casas y tierras que recibieron en herencia de sus padres y abuelos, como lo afirma Don Fernando de Alba Ixtlixóchilt en su *Nican Motecpana.*

Juan Diego, Juan Bernardino y sus ascendientes fueron tributarios. Con el descubrimiento de su casa, y la confirmación hecha el día 14 de octubre de 1963, y con los utensilios de trabajo, de cocina y para el culto encontrados en su casa, sabemos con certeza que se dedicaban no sólo al cultivo de la tierra con la siembra del maíz, el frijol, el chile, etc., sino que también eran artesanos, especialmente alfareros, tejedores dedicados a la apicultura y al tejido de petates.

Sus productos los llevaban a los tianguis para el trueque, con lo que también eran comerciantes. Los grandes tianguis de Tlatelolco, Texcoco, Xochimilco y Cuauhtitlán seguramente fueron muy frecuentados por ellos.

Su forma de vivir, sus actividades y propiedades, particularmente examinada su casa, que no era una simple choza, sino una casa con seis cuartos, uno de ellos dedicado a la artesanía, con un pasillo de distribución y un *temazcal,* lo que indica que no eran de la clase más pobre en la organización social.

Todo lo referente a Cuauhtitlán se encuentra en el Códice *Chimalpopoca* o *Anales de Cuauhtitlán,* además *es sabido-que la Huehuecuauhtitlan* es muy anterior a los pueblos arcaicos del Valle de México, como son Tlatilco, Cuicuilco, Ticomán, Zacatenco y otros.

En cuanto a la geografía del Valle de México en 1531, todos sabemos que México-Tenochtitlán era una isla aún, con otra más pequeña a su lado noreste, y que estas islas estaban comunicadas con tierra firme por medio de tres calzadas: la del sur que conducía a Ixtapalapa, bifurcándose en el punto de Xoloc hacia Coyoacán; la del poniente o de Tlacopan (tacuba), y la del norte o de Tepeaquilla que llevaba a la punta del cerro o Tepeyac.

Como Cuauhtitlán está al norte de la ciudad de México, era

necesario localizar el camino que entroncaba con dicha calzada de Tepeaquilla.

La tradición de Cuauhtitlán dice que sus peregrinaciones parroquiales seguían el "camino de Juan Diego" hasta principios de este siglo XX.

El tiempo que se necesita para recorrer el Tepeyac, saliendo de Santa María Tlayacac, Cuauhtitlán, a las 4 de la mañana, es de 3 y media horas, como así se ha constatado haciendo el estudio sobre este asunto en el año de 1967, un 12 de diciembre.

La "*Estrella del Norte*", escrita en 1688, dice en su capítulo XVIII refiriéndose a Juan Diego: se bautizó con su mujer en 1524, adoctrinados por Fray Toribio de Benavente, a quien por su extrema pobreza y por lo mucho que la ensalzaba, lo llamaban Motolinía, que quiere decir "el pobre".

Virtudes de Juan Diego

Un testigo de las *Informaciones de 1666*, Gabriel Juárez, de 110 años, originario de Cuauhtitlán, dijo: que él había nacido en el barrio de San José Tequisquinahua, contiguo al de Tlayacac, donde nació Juan Diego, cuyas ruinas de su casa aún existían.

Que su padre, Mateo Juárez, le comentó que había conocido a Juan Diego y que no sólo sus padres, sino también muchas personas decían que Juan Diego *"había sido un indio cristiano, temeroso de Dios y de su conciencia, y que siempre le vieron vivir quieta y honestamente sin dar nota ni escándalo de su persona, que siempre le veían ocupado en ministerios del servicio de Dios Nuestro Señor, acudiendo muy puntual a la doctrina y divinos oficios, ejercitándose en ellos muy ordinariamente, porque a todos los indios de aquel tiempo oía este testigo decirles era un varón santo, y que le llamaban el Peregrino porque siempre lo veían andar solo; se iba a la iglesia de Tlatelolco"*. Informaciones de 1666. *Amecameca. 1889 págs. 23-29.*

Los historiadores antiguos y modernos están de acuerdo en que la esposa de Juan Diego se llamó Malintzin y que al bautizarse tomó el nombre de María Lucía.

En un documento que *lleva la fecha del 11 de marzo 1559 se lee:* "...y así como yo he salido de aquí en este pueblo de Cuauhtitlán y barrio de San José Milla de la milpa o heredad de San José, aquí se crió el mancebo Juan Diego, después se fue a casar en Santa Cruz Tlacpac junto a San Pedro, se casó con una doncella que se llamaba

María, y pronto murió la doncella, quedó sólo Juan Diego; después pasando algún tiempo... por medio de él se hizo el milagro allá en el Tepeyac, en donde apareció la amada Señora Santa María...".

Para que tengamos una idea del año en que se celebró el matrimonio, debemos tomar en consideración lo que nos dice Motolinía en su *Historia de los Indios de Nueva España*, capítulo VII:

Dice que *"el Sacramento del matrimonio en esta tierra de Anáhuac se comenzó en Texcoco. En el año 1526, domingo 14 de octubre, se dispuso y casó pública y solemnemente don Hernando..."*.

Así concluimos que el matrimonio de Juan Diego y María Lucía fue después del 14 de octubre de 1526 antes del año 1529 en que murió esta última.

La unánime tradición cuenta que, oyendo predicar a Fray Toribio de Benavente (Motolinía), sobre la excelencia de la virginidad cristiana, y de cómo Dios y su Santísima Madre tenían una gran predilección por todos aquellos que la guardaban por amor al reino de los cielos, Juan Diego y su esposa Lucía hicieron el propósito de guardarla íntegramente.

Juan Diego en una plaza de Cuautitlán, México.

Después de que Lucía murió en 1529, Juan Diego pasó a vivir como piadoso hijo, con un tío suyo llamado Juan Bernardino, en el barrio de Santa María Tlayacac, posteriormente en Tulpetlac, siempre en la vecindad de Cuauhtitlán.

Juan Diego tenía devoción por escuchar la Palabra de Dios y se sentía atraído por el culto divino, que los frailes franciscanos celebraban en Tlatelolco.

Durante las apariciones Juan Diego se muestra:

Atrevido: luego se atrevió a ir donde le llamaban.

Intermediador: muy expresivo en el relato del *Nican Mopohua.*

Trabajador: el trabajo y fatiga no le importan nada.

Esforzado: como le dijo la Virgen: "anda y pon todo tu esfuerzo".

Cumplidor: "fui donde me mandaste a cumplir tu mandato".

Delicado y respetuoso: había sido recibido de mala gana y no tomado en consideración, pero dice: "el obispo me recibió benignamente y me oyó con atención".

Perspicaz: "en cuanto me respondió, pareció que no lo tuvo por cierto".

Dispuesto: "no te cause aflicción, de muy buena gana iré a cumplir tu mandato... de ninguna manera dejaré de hacerlo, ni tengo por penoso el camino... iré a hacer tu voluntad".

Realista: está dispuesto a todo, y alcanzar a percibir: "pero acaso no seré oído con agrado; o si fuese oído quizás no se me creerá".

Consecuente: "Señor, mira cuál ha de ser la señal que me pides, que luego iré a pedírsela a la Señora del Cielo que me envió acá".

Firmeza: viendo el obispo que ratificaba todo sin dudar ni retractar nada.

Gran fe: "Aunque yo sabía bien que la cumbre del cerrillo no es lugar en que se den flores, porque sólo hay muchos riscos, abrojos, espinas, nopales y mezquites, ni por eso dudé..."

Juan Diego, Profeta de la Virgen

La teología contemporánea se ha complacido también en revalorar el carisma de "profeta". Este es una persona que autorizadamente habla en nombre de Dios. En esta perspectiva, después del Concilio Vaticano II, el ritual renovado del bautismo subraya la misión profética de todo cristiano.

Según los datos tradicionales de la *Biblia,* un profeta es un hombre elegido personal y gratuitamente por Dios, que recibe una palabra para comunicarla a la comunidad o a sus dirigentes. Habla, en definitiva en nombre de Dios. Es su mensajero, su heraldo, su embajador. Pensemos en Amós, Oseas, Isaías (Am 7,14-15; Os 1, 2-9; Is 6, 1-13). Y a veces, cuando el escogido siente su incapacidad para trasmitir con éxito el mensaje, rehusa, se intimida, resiste (Jr 1,4-10).

Pero la gracia conforma la naturaleza y el profeta, al fin, cumple la misión. En ocasiones el profeta es perseguido e inexplicablemente desaparece; ese fue el caso de Elías (1Re 18, 12; 2Re 2,11). El profeta es un siervo que recibe un mandato, una orden que tiene que llevar acabo. El siervo entonces debe simplemente obedecer. Así lo declara en el *Nuevo Testamento* Pablo de Tarso, siervo de Cristo Jesús (Rm 1, 1) y profeta del Espíritu (Hch 13,1.4), que se lanza a predicar el *Evangelio* para cumplir con la orden recibida (1Cor 9,16-18).

¿Quién no descubre en Juan Diego
los claros perfiles de un profeta?

Todo profeta es un "enviado" y la Virgen le dice expresamente: *"Yo te envío para que le descubras cómo deseo mucho que aquí me hagan una casa..."*.

El profeta es un "siervo"; y Juan Diego como siervo obediente y fiel, acepta al punto:

"Señora mía, Niña, ya voy a realizar tu venerable aliento, tu venerable palabra; por ahora de ti me aparto, yo, tu pobre indito".

El profeta es consciente de su "indignidad y pequeñez"; y Juan Diego, ante el asomo de un fracaso en la misión, confiesa su impotencia y con humildad y sencillez busca sustraerse:

"Mucho te suplico, Señora mía, Reina, Muchachita mía, que alguno de los nobles, estudiados, que sea conocido, respetado, honrado, le encargues que conduzca, que lleve tu amable aliento, tu amable palabra para que le crean.

Porque en verdad yo soy un hombre del campo, soy mecapal, soy parihuela, soy cola, soy ala; yo mismo necesito ser conducido, llevado a cuestas, no es lugar de mi andar, ni de mi detenerme allá donde me envías, Virgencita mía, Hija mía menor, Señora, Niña. Por favor dispénsame; afligiré con pena tu rostro, tu corazón; iré a caer en tu enojo, en tu disgusto, Señora, Dueña mía".

Pero la vocación que Dios da, es irrevocable (Rm 11, 29), y nadie sino el profeta elegido es quien debe cumplir la misión.

"Escucha, el más pequeño de mis hijos, ten por cierto que son escasos mis servidores, mis mensajeros, a quienes encargué que lleven mi aliento, mi palabra, para que efectuen mi voluntad; pero es muy necesario que tú personalmente vayas, ruegues, que por tu intercesión se realice, se lleve a efecto mi querer, mi voluntad. Y mucho te ruego, hijo mío el menor, y con rigor te mando, que otra vez vayas mañana a ver al obispo".

Es de notar que el pobre es el sujeto intransferible, esencial: *"es del todo punto preciso que tú mismo me solicites y ayudes y que con tu mediación se cumpla mi voluntad"*. Se aclara definitivamente que el pobre, Juan Diego, es el mediador; por eso se requiere enunciar la acción con dos palabras: *Ipantitlatoz*, más que "ayudes" significa favorezcas-apoyes, es decir la Virgen pide el apoyo de Juan Diego para su empresa. *Huelmomatica*, traducido por mediación, propiamente significa "con tus manos"; o sea que el pobre tiene que manejar esta misión, moldearla, darle forma. A lo que Juan Diego responde:

"Señora mía, Reina, Muchachita mía, que no angustie yo con pena tu rostro, tu corazón; con todo gusto iré a poner por obra tu aliento, tu palabra; de ninguna manera lo dejaré de hacer, ni estimo por molesto el camino".

Un rasgo pintoresco asemeja a Juan Diego a los profetas antiguos: es seguido por los servidores del Obispo y, en un instante, en el momento más interesante, desaparece a sus miradas (84).

El *Nican Motecpana o Libro de los milagros de la Virgen,* de D. Fernando de Alva Ixtlixóchitl, dice: *"A Juan Diego, por haberse entregado enteramente a su ama, la Señora del Cielo, le afligía mucho que estuvieran tan distantes su casa y su pueblo, para servirle diariamente y hacer el barrido; por lo cual suplicó al Señor Obispo poder estar en cualquier parte que fuera, junto a las paredes del templo, y servirle. Accedió a su petición y le dio una casita junto al templo de la Señora del Cielo; porque le quería mucho el señor Obispo. Inmediatamente se cambió y abandonó su pueblo y partió, dejando su casa y su pueblo a su tío Juan Bernardino...* "Y más adelante dice: *"Viendo su tío Juan Bernardino que aquél servía muy bien a Nuestro Señor y a su preciosa madre, quería seguirle, para estar ambos juntos; pero Juan Diego no accedió. Le dijo que convenía que estuviera en su casa, para conservar las casas y tierras que sus padres y abuelos les dejaron; porque así había dispuesto la Señora del Cielo que él solo estuviera"*

En todo esto se mostró un servidor silencioso, puntual, seguro, eficaz, y desprendido. No busca brillo, ni aprecio, cumple simplemente con la garantía impecable de su fidelidad y sencillez, pero todo lo hace con un gran amor y entrega.

Juan Diego vivió y se dedicó a su ermita. Y allí, entre el servicio de la Señora y de su pueblo, ejerció una influencia callada durante 17 años. Imprimió una espiritualidad guadalupana caracterizada por: la valoración del humilde, el resplandor de su cultura autóctona, la irradiación de su bondad, el señalar tareas de colaboración y complementariedad en los diferentes sectores sociales, el armonizar las fuerzas de la sociedad.

Juan Diego era ejemplo de oración, recogimiento, vida cristiana y evangelización guadalupana para todos los indígenas, sus paisanos, que mucho lo quisieron y apreciaron.

Y cuando bendecían a sus hijos les decían: "Que Dios te haga como Juan Diego".

El recorrido de su vida mortal: Cuauhtitlán-Tulpetlac-Tlatelolco-Tepeyac, le dio una espiritualidad original: crecimiento íntimo de amor a Dios por medio de la Virgen de Guadalupe y saborear el gozo de la intimidad divina. Juan Diego, en las informaciones de 1666, fue captado con esta graduación: el hombre cristiano, el ejercicio de virtudes, el modelo, el intercesor.

Algunos establecen un paralelismo entre san Juan el Evangelista, que vio a la Virgen circundada por el sol, con la luna a sus pies y doce estrellas aureolando su cabeza, con Juan Diego que vio a la Santísima Virgen rodeada de los rayos del sol y sobre la media luna.

A san Juan Evangelista se le llama el Águila de Patmos, a Juan Diego podemos llamarlo el Águila del Tepeyac.

Grafía de Juan Diego en la Tira de Tepechpan

El Códice llamado *Tira de Tepechpan* proviene del Valle de México, del lugar llamado Santa María Magdalena Tepechpan. Pintado sobre papel de amate (ficus) relata los principales sucesos del Señorío de Tepechpan, en la parte superior, y de México-Tenochtitlán en la inferior. Comprende hechos históricos corroborados por otros códices coloniales, a partir de 1300 a 1590.

Se considera que puede haberse hecho por varios autores, en épocas sucesivas y terminado a fines del siglo XVI. Al parecer perteneció a la colección de F. Alva Ixtlixóchitl, y después a varios propietarios.

Se encuentra en la actualidad en la Colección de Documentos Mexicanos de la Biblioteca Nacional de Francia en París, con los números 13 y 14.

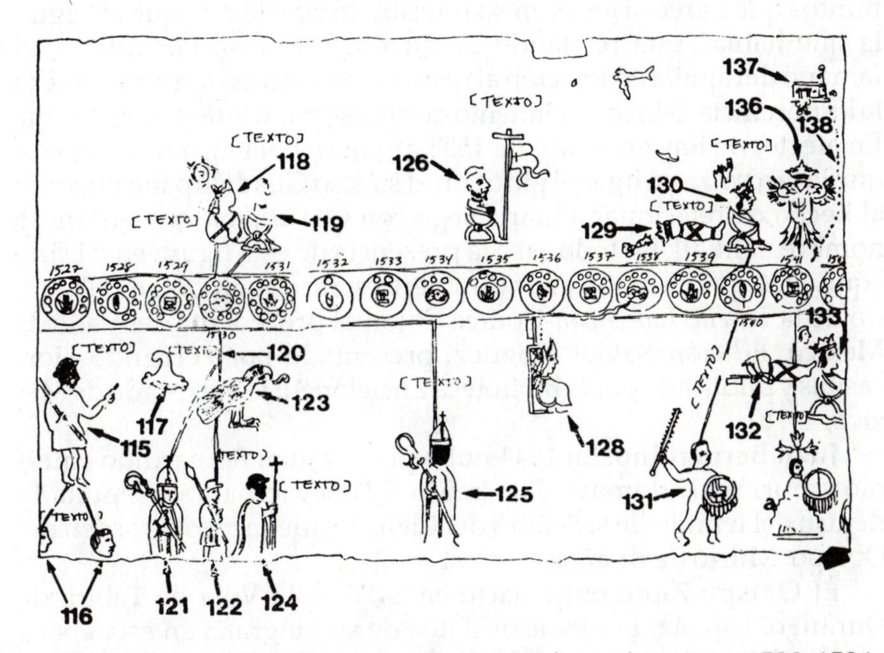

Entre las pictografías que corresponden a los años 1530-1531, aparecen tres personajes que el Pbro. Mariano Cuevas, en el *Album Histórico Guadalupano,* págs. 39-43, interpreta como la procesión encabezada por Fray Juan de Zumárraga y Hernán Cortés en la cual se llevó la Imagen de la Guadalupana a la ermita primitiva. Esto ha sido discutido por varios historiadores que comentan que las figuras corresponden a la llegada de Cortés de España a la partida de Zumárraga y al arribo de la segunda audiencia del mismo lugar.

Sin embargo hacia la pictografía de 1531, se encuentra la figura de un águila, en el registro *Tenochca,* de cuyo pico sale una voluta azul turquesa con unos puntos dorados en su interior y cuyo significado, no ha sido aclarado hasta el momento. Sólo se ha establecido por las personas que han interpretado el códice, que la lectura glífica puede corresponder a Cuauhtlatoa o Cuanhtlatoani que quiere decir "el que habla como águila"o"el que manda varonilmente".

Se ha venturado por vez primera otra hipótesis: Cuauhtlatóuac es el nombre *náhuatl* de Juan Diego y por lo tanto esta pictografía es testimonio de su presencia en 1531, y su participación en algún suceso sumamente importante, ya que en el códice sólo están registrados hechos históricos de gran relevancia. Por otra parte, la voluta que sale del pico del águila está pintada de color azul, con puntos que parecen joyas en su interior, lo cual indica que el "águila que habla" está relatando un suceso precioso. Por último, el tamaño del águila en relación al resto de las figuras humanas resalta la importancia del acontecimiento del que se trata de dejar constancia. En efecto, no hay en el año de 1531 algún rey del mismo nombre y que la tardanza en ligar el glifo con el suceso Guadalupano obedece al hecho de relacionar a Juan Diego con Cuautlatoa, su verdadero nombre náhuatl. En todo caso la presencia de esta figura en tal sitio equivale a que en castellano se hubiera escrito "Juan Diego" (Tomado de la *Tira de Tepechpan*-Códice Colonial procedente del Valle de México. Edición Xavier Nóguez, presentado por Fernando Horcasitas y publicado por la Biblioteca Enciclopédica del Estado de México, 1978).

Juan Bernardino: En 1544 hubo peste y Juan Bernardino enfermó y murió el 15 de mayo. Fue traído al Tepeyac, para ser sepultado dentro del templo de la Señora del Cielo; lo que se hizo de orden del Obispo. Murió de 86 años.

El Obispo Zumárraga nació en 1476 en la Villa de Tabira de Durango, España. Los escasos datos de su biografía en esta época señalan lo siguiente: Carlos V, visita el convento de Abrojo donde Zumárraga era el guardián. El Emperador regala una fuerte suma de dinero al convento, que es rechazada por su guardián; pero forzado a recibir el dinero, lo reparte íntegramente entre los pobres.

El obispo en México realizó una obra gigante: *"Misioneros, escuelas, colegios, imprenta, libros, asilo y hospitales para enfermos; dotes y limosnas a huérfanos y pobres; trabajo y nuevas industrias al pueblo; al Estado aumentó sus rentas; lustre a la Iglesia y al culto; luz a los idólatras; paz, concordia, justicia y caridad para todos..."* así resume la biografía D. Joaquín García Izcabalceta. Se nota en esta síntesis la proyección de la Guadalupana.

Murió en México el domingo 3 de junio de 1548. Juan Diego muere el 12 de junio de 1548 (a la edad de 74 años, mismo año y mes que el obispo) después de consagrarse a servir a la Señora del Tepeyac durante 17 años.

En espera de la glorificación de Juan Diego

La primera expresión pública en favor de la causa de Juan Diego fue hecha por el Obispo Manríquez y Zárate en abril de 1939, en una Carta Pastoral. Cuando publicó esta Carta, el Obispo de Huejutla vivía desterrado en San Antonio, Texas. En su pastoral decía: "*Juan Diego es grande por haber fijado en él sus ojos la excelsa Madre de Dios, y por haber querido que él y no otro de los miembros de la familia mexicana fuera el portador de su mensaje de amor a la naciente Iglesia*".

El gobierno mexicano ha rendido homenaje al ciudadano más venerado de su historia. En 1957 erigió una gran estatua en los jardines de la Basílica de Guadalupe, en la que se admira su gran nobleza y carácter. En 1963 las autoridades enbellecieron la explanada que rodea la capilla de Cuauhtitlán y allí erigió otra estatua de grandes proporciones en honor a Juan Diego. En este tiempo se autorizó la excavación arqueológica de la capilla que fue la casa de Juan Diego y María Lucía.

En Roma existe una Congregación que discute las causas de beatificación y canonización; allí llegan de todas las partes del mundo los procesos hechos en las más diversas Diócesis, sobre la vida apostólica o contemplativa, sobre las virtudes o milagros de los Siervos de Dios que se pretende elevar al honor de los altares.

Es necesario conocer perfectamente la vida del Siervo de Dios que se quiere llevar a los altares; por lo tanto es indispensable escudriñarla cuidadosamente para decidir si realmente su virtud es de veras heroica.

Esta Congregación examina atentamente toda la documentación. Después de una experiencia secular, se ha establecido un procedimiento de búsqueda y análisis judiciario, puesto que este sistema es el que lleva a conocer más profunda y objetivamente los hechos.

El Promotor general de la fe, alto prelado que presenta sus conclusiones directamente al Santo Padre, llamado vulgarmente "el abogado del Diablo", examina todo esto con las explicaciones y aclaraciones que le da, nada menos, que el Abogado de la causa.

Así se llegan a conocer exactamente, claramente la vida y las virtudes que después son analizadas por numerosos jueces, prelados consultores y cardenales, y finalmente por el mismo Santo Padre, quien da su fallo por medio de una declaración que define las cosas buenas como heroicas, las curaciones como milagrosas y que inscribe al siervo de Dios en el Catálogo de los beatos y de los santos.

Siervo de Dios es un título que se da en la Iglesia a un cristiano que ha muerto en fama de santidad, y cuya vida, misión y ejemplos, despiertan en el pueblo de Dios una devoción y un atractivo especial, aunque la Iglesia no se defina todavía sobre su santidad.

El examen es tan cuidadoso y profundo que nos lleva a una certeza moral absoluta de cuanto va a declarar el Sumo Pontífice. Todos los estudios piden mucho tiempo, primero porque el Código de Derecho Canónico establece sabiamente que el examen se inicie después de algunos decenios de la muerte del siervo de Dios para precaverse de una llamarada efímera de entusiasmo (llamarada de petate); sino que se confirme con los años una verdadera fama de santidad.

Piden mucho tiempo porque su discusión necesita la colección completa de testimonios, documentos y exámenes que a veces se llevan lustros de estudio y trabajo.

La canonización es un acto supremo e importante del Sumo Pontífice. La Iglesia es una institución que tiene vida por el Espíritu Santo. Una realidad humana, pero penetrada, encendida y animada por el mismo Espíritu de Dios.

Por eso la llamamos la "Santa Madre Iglesia". Ahora bien, un miembro de este templo que se deja penetrar o impregnar de este Espíritu Divino, se transforma en un hombre lleno de virtud, de gracia, de bondad, de celo; éste es un cristiano cabal: es un santo. Un ejemplar, un modelo que la Iglesia propone para que todos lo imitemos.

Entre las numerosas causas de beatificación que llegan continuamente a la Santa Sede, se prefieren aquellas que responden más a las necesidades urgentes de los fieles, en el sentido de que los siervos de Dios que se estudian y proponen son siempre una respuesta a las necesidades del momento.

En nuestros días, que constatan una más amplia y activa participación de los laicos en la vida de la Iglesia, son numerosos los Siervos de Dios que trabajaron en el campo apostólico y vivieron una vida perfecta de laicos.

Entre ellos ya tenemos muchos beatos y santos: como Isabel Setton, madre de cinco hijos y más tarde fundadora de numerosas Congregaciones Religiosas, etc.

La Iglesia mexicana, que tiene en estudio ante la Congregación de las Causas de los Santos varios mártires y confesores que nacieron y trabajaron en México, se interesa particularmente por esta grandísima figura del laico, que responde perfectamente a los tiempos actuales y sirve de ejemplo a cuantos viven en familia.

Juan Diego fue casado y nos muestra también que en este estado propio de la vida seglar se puede vivir plenamente la vida cristiana y llegar a la perfección cultivando las virtudes en grado heroico.

La memoria de este aborigen llega hasta Roma en su presencia de intercesor y de amigo, porque es el feliz protagonista de las Apariciones de Santa María de Guadalupe en el Tepeyac.

Pero, además, Juan Diego llega para ser inscrito en el Catálogo de los Santos con una presentación muy especial y particular: la de las palabras de la Celestial Señora: *"Y ten por seguro que mucho lo agradeceré y lo pagaré. Que por ello te enriqueceré, te glorificaré"*. Y puesto que María es la que habló, no se trata ciertamente de gloria humana, sino de la glorificación más grande que puede existir en la tierra: el ser elevado a los altares.

Y ya que Juan Diego cumplió perfectamente su misión. Ella no dejará de cumplir sus promesas.

La nobleza del alma mexicana quiere encontrar en Juan Diego un punto de referencia amigo y cercano. Reconocemos que en la cuna misma de la nacionalidad de México está Juan Diego, mediador e intermediario entre la Santísima Virgen y su pueblo.

Juan Diego a los Altares

Por fin, la patria entera está de fiesta, porque durante la segunda visita del Papa Juan Pablo II a México, tuvo lugar la beatificación de Juan Diego el domingo 6 de mayo de 1990 en la Basílica de Guadalupe, y su fiesta se celebrara todos los años el día 9 de diciembre.

Reflexión, trabajos, compromisos

1) ¿Qué síntesis nos puedes hacer o decir de Cuauhtitlán?
2) ¿Cómo estaba organizado el pueblo de Juan Diego?
3) ¿Qué costumbres tenían los habitantes de Cuauhtitlán y a qué se dedicaban?
4) ¿Qué nombre tenía Juan Diego antes de ser bautizado y qué significa?
5) ¿Qué experiencias importantes tuvo en su infancia, adolescencia y juventud?
6) ¿Con quién, cuándo y dónde se casó Juan Diego?
7) ¿Cuáles virtudes quieres imitar de Juan Diego, y por qué?
8) ¿Qué significa ser profeta y cómo lo podemos realizar?
9) ¿Qué características del profeta descubres en Juan Diego?

10) ¿A qué se dedicó Juan Diego después de las apariciones y cómo lo hizo?
11) ¿Qué testimonio dio Juan Diego en la primera Ermita de la Señora?
12) ¿Cuál era la bendición que daban los antiguos mexicanos a sus hijos?
13) ¿Qué nos puedes decir de la Tira de Tepechpan?
14) ¿Qué más te llama la atención del obispo Zumárraga?
15) ¿Qué proceso se sigue para la beatificación y canonización de un santo?
16) ¿Para la causa de Juan Diego, qué palabras de la Virgen tienen especial alusión?

ANTONIO VALERIANO
Y EL NICAN MOPOHUA

Antonio Valeriano (1520-1605), autor del relato de las apariciones, era un indígena de raza tecpaneca pura, muy culto. El historiador P. Cuevas dice que era sobrino del emperador Moctezuma, y que nació en 1520 en Azcapotzalco, población cercana al Tepeyac, pero vivió en México desde 1526. A la edad de 13 años entró en el Colegio de Santa Cruz de Tlatelolco.

Centro de la piedra de sol.

Fue el primer Colegio del Hemisferio Occidental fundado por Zumárraga, primer obispo de México. Se inauguró en 1533 y Don Antonio Valeriano fue uno de los estudiantes fundadores. Juntamente con los otros estudiantes latinos, como los llamaba Sahagún, podemos señalar los siguientes: Antonio Valeriano, de Azcapotzalco; de Cuauhtitlán, Martín Jacobita (amigo de Valeriano); de Tlatilulco, Pedro de San Buenaventura, Andrés Leonardo (*Historia de Literatura Náhuatl*, Garibay pp. 79 y 215ss.).

De ellos salieron: *Códice de Chimalpopoca, Anales de Cuauhtitlán, Anales, los Himnos de los dioses, el Relato de las Apariciones de la Virgen de Guadulape.*

Antonio Valeriano tuvo el cargo de gobernador de Azcapotzalco durante treinta y cinco años. Persona altamente dotada, pues fue el primer graduado en latín y griego, con todos los honores, idiomas que dominó a la perfección. Su padre era contemporáneo de Juan

Diego, de manera que Valeriano bien pudo escuchar el relato de las apariciones de los mismos labios del vidente, ya que Valeriano tenía 11 años cuando las apariciones, y veintiocho a la muerte de Juan Diego.

Tuvo tanto éxito y aprovechamiento que de alumno pasó a maestro. Adquirió entre españoles e indígenas una enorme autoridad como hombre honrado y erudito y de él decía el obispo Fuenleal que era "tan hábil y capaz que hacía gran ventaja a los españoles", y Sahagún lo califica así: "El principal y más sabio fue Antonio Valeriano, vecino de Azcapotzalco". Contemporáneo de los hechos (como se anotó anteriormente), y con formación y crítica suficiente para ser el escritor o relator ideal del acontecimiento, hasta el punto de que bien se puede afirmar que no había entonces español o indio, fraile o lego, de cuantos habitaban en México, que pudiese escribir los hechos con más veracidad, criticismo y pulcritud que Antonio Valeriano.

Por su preparación histórica estaba hecho para narrar la Aparición". "El joven Antonio —redondea el P. Cuevas— vivía, pues, en el tiempo y lugar de los sucesos y, por este título más, él es el hombre a quien Dios preparó para que en su mayor edad fuese el evangelista de la aparición Guadalupana".

Escribió su *Nican Mopohua* o *Narración de las Apariciones,* de su puño y letra, en elegante idioma náhuatl o mexicano, a finales del siglo XVI, cuando aún vivían Zumárraga, Juan Bernardino y Juan Diego, a los que interrogó con severa minuciosidad.

El *Nican Mopohua,* palabras con que empieza el relato de Valeriano (y que significa aquí se cuenta, se narra, se ordena...), escribió en lengua náhuatl en Tlatelolco, posiblemente hacia el año 1592. Es considerado como el "Evangelio de Guadalupe y Valeriano es el Evangelista". Y, siendo de raza india, pudo captar con mentalidad indígena el sentido expresado a través de las palabras originales de Juan Diego y de los numerosos símbolos que utilizaba en sus narraciones; eligiendo el género literario de una "genuina narración" de acontecimientos históricos.

Además, los conocedores del náhuatl nos aseguran que Valeriano nos ha dejado, "en candoroso lenguaje del más refinado estilo náhuatl, no solamente la crónica, sino la vivencia del mundo indio". Para los indios el canto y las flores, los colores y las figuras, no sólo eran adornos poéticos, sino instrumento precioso para comunicar el mensaje.

De allí que el *Nican Mopohua* sea una "bellísima e intraducible joya de la literatura náhuatl, de una frescura singular y de una ternura sin medida".

El *Nican Mopohua* fue escrito sobre papel hecho de pulpa de maguey, como los antiguos códices aztecas, en lengua náhuatl, pero con caracteres latinos.

Comienza con una introducción en que ubica el escenario y los personajes. Va desarrollando las cinco apariciones.

La primera que se realiza el sábado nueve de diciembre, en la madrugada, cuando se desarrolla el diálogo y la Virgen solicita que se vaya a ver al Obispo para pedir la construcción de un templo.

La segunda aparición, el mismo sábado nueve, en la cumbre del cerrito a las cinco de la tarde. Juan Diego confiesa su fracaso y la Virgen acentúa su encomienda.

La tercera, el domingo diez, en la cima del cerrito, como a las tres de la tarde. Ante la negativa del obispo que le garantice con una señal, la Virgen le pide que retorne al día siguiente.

La cuarta, que es la del doce de diciembre, martes, como a las seis de la mañana, en la falda del cerro. La Virgen consuela a Juan Diego, quien estaba preocupado con la enfermedad de su tío. Y él va a cortar las flores.

La quinta, simultáneamente a la de Juan Diego, la Virgen se aparece a Juan Bernardino, lo cura y le manifiesta su nombre.

En ese mismo día, a las doce horas, en la casa del obispo la Virgen realiza una aparición permanente, quedándose estampada en la Tilma de Juan Diego.

En el relato de las apariciones, al mismo tiempo que se siente la armonía envolvente del drama, va quedando una plenitud interna que se saborea y cada vez que se profundiza se le van encontrando nuevas vetas de riqueza insospechable.

Hay, en Valeriano, una sublimidad ultraterrena que jamás imaginaron los más altos maestros... El *Nican Mopohua* pone en escena personajes divinos y humanos con la sencillez clásica, pero sin gran elocuencia en la forma y estilo. Sus modos se acercan a los del Evangelio: atestigua pero no trata de convencer.

En el *Nican,* se siente la paz serena y celeste que empapa el ambiente espiritual con el aroma "de toda clase de flores". Los horizontes del *Nican Mopohua,* desde que se descorre el telón, se ensanchan enormemente como por un resquicio luminoso, por ejemplo, cuando a Juan Diego le dice María: *"Ten por seguro que lo agradeceré bien y lo pagaré, porque te haré feliz"* (primera aparición).

En lo tocante a la más bella cualidad del clasicismo, que han llamado luminosidad espiritual, ésta brilla de tal modo en el *Nican Mopohua* que la narración íntegra parece envuelta por los esplendores de una mañana celeste en una naturaleza ideal, con un trasunto de la luz de lo eterno... el *Nican Mopohua* es la más bella narración que trazó jamás humana mano en el Continente de María.

El relato de Antonio Valeriano es ciertamente una obra literaria magnífica, pero se desenvuelve en una atmósfera de fe. Se tiene que rener presente que, en un acontecimiento salvífico y en el caso extraordinario, la acción divina es riquísima y pluriforme en sus aplicaciones. Por tanto, no sólo creemos que la misteriosa acción de Dios estuvo actuante en las apariciones a Juan Diego y en la impresión de la Imagen, sino que también asistió a Valeriano para que pudiera transmitir, por escrito, con la verdad necesaria, la narración de esta historia de carácter salvífico.

A la muerte de Valeriano, el *Nican* pasó a don Fernando de Alva Ixtlixóchitl, y estando el original todavía en sus manos, el bachiller Luis Lasso de la Vega lo mandó a la imprenta en 1649. De esta impresión, reproducida en 1926, nos vienen varias traducciones nuevas, principalmente la de D. Primo Feliciano Velázquez, en un estilo fluido y elegante.

A la muerte de Don Fernando de Alva Ixtlixóchitl (1648), lo hereda su hijo Juan de Alva y Cortés. Este lo dio en su testamento al jesuita Carlos de Sigüenza y Góngora. Más tarde pasó al Colegio de San Pedro y San Pablo y de allí a la Real Universidad de México, de donde misteriosamente desapareció. Se supone que en 1847, durante la guerra con los Estados Unidos, fue llevado entre el lote de documentos de Sigüenza y posiblemente se encuentra en el Departamento de Estado de Washington.

Reflexión, trabajos, compromisos

1) ¿Quién fue Antonio Valeriano?
2) ¿En qué se distinguió como alumno del Colegio Santa Cruz de Tlatelolco?
3) ¿Qué escritos importantes salieron de los alumnos de Tlatelolco?
4) ¿Cuál fue el escrito más importante y bello de Antonio Valeriano?
5) ¿Qué significa *Nican Mopohua,* y primitivamente en qué idioma fue escrito?
6) ¿Qué nos narra el *Nican Mopohua?*
7) ¿Qué personas poseyeron este documento tan importante?
8) ¿Qué cualidades y valores se descubren en el escritor del *Nican Mopohua?*

Dios Padre pintando a la Virgen de Guadalupe.
Oleo sobre tela, anónimo, mediados del siglo XVII.
(83 x 63 cms.) Museo de la Basílica.

DON FERNANDO DE ALVA IXTLIXÓCHITL

Indio fue Alva Ixtlixóchitl. Una hija del rey tetzcocano Ixtlixóchitl, llamada Ana, se casó con Don Fernando Verdugo Quetzalmamalitzin, Señor de Teotihuacán. De este matrimonio nació Cristina Francisca, esposa del español Juan Grande. Tuvieron una hija: Ana, que a su vez se casó con Juan Pérez de Peraleda y Navas; y éstos fueron los padres de nuestro historiador Don Fernando, quien por tanto es trasnieto del rey Ixtlixóchitl y bisnieto de Don Francisco Verdugo Quetzalmamalitzin.

Era noble descendiente de Netzahualcóyotl: de la hija Tzinquetzalpoztequin, que se casó en 1439 con Quetzalmamatzin, y de Netzahualpilli, hijo que heredó el reino. Pero en su ser había ya sangre española: con sus ancestros Juan Grande, casado con su abuela Doña Cristina y Juan de Navas Pérez de Peraleda, su propio padre, casado con Doña Ana Cortés Ixtlixóchitl, de quien a usanza de los tiempos, tan arbitraria en ese punto, tomó el nombre de familia con que lo conocemos.

Alumno del Colegio de Santa Cruz de Tlatelolco: "Fue el más instruido en la lengua, historias y antigüedades de su gente, de cuantos han tratado estas materias. Escritor tan verídico y exacto que nada dijo que no comprobase con los mapas y pinturas originales, que poseía y había heredado de sus mayores...".

En 1608 presenta sus primeros escritos a la aprobación de los Ayuntamientos de Otumba y Cuauhtlacingo.

1612. Es gobenador de Texcoco.
1617. Es gobernador de Tlalmanalco.
1648. Termina la *Historia Chichimeca.*

El Virrey D. Luis de Velasco (el 2o.), le dio el título de intérprete regio. Obras de Don Fernando (señaladas en el *Album Guadalupano* de Mariano Cuevas):

—*Historia de la Nueva España,* 76 capítulos.
—*Historia de los señores chichimecas con las ordenanzas del Emperador Netzahualcóyotl.*
—*Relaciones Históricas de la Nación Tolteca.*
—*Fragmentos históricos vanos.*
—*Compendio de la Historia de los Chichimecas, Tultecas y mexicanos.*
—*Compendio Histórico del Reino de Texcoco.*
—*Cantos del Emperador Netzahualcóyotl, traducido al castellano de la lengua náhuatl.*
—*Relación de la Aparición de Nuestra Señora de Guadulupe.*

Autor de la Relación de los Milagros

El *Nican Motecpana* es un museo de ex-votos, donde la observación se enfoca en detalles pequeños hasta acontecimientos grandiosos. La predilección de María por los indígenas especialmente, el gozo de tenerla como Señora, se agiliza en esta reseña de milagros. Todo es de gran riqueza, exponemos algunos puntos:

—Describe la gran procesión para llevar la sagrada efigie a su ermita y el milagro que realiza al resucitar al indígena que fue atravesado por una flecha.

—Describe la procesión al Tepeyac de toda clase de gentes para pedir que cesara la peste, como sucedió.

—La presencia de María en México, por medio de los naturales.

—Juan Diego con la Virgen de Guadalupe.

—El agua salobre del pocito, que ayudó a aliviar tantas enfermedades.

—La vida contemplativa y servicial de Juan Diego. Muerte de Juan Diego. Como epílogo se hace una relación de la bondadosa protección de la Santísima Virgen en estas tierras y de la predilección que ha tenido especialmente con los indígenas.

Don Fernando fue gobernador de Azcapotzalco

Azcapotzalco había sido centro de rebelión en las luchas prehispánicas de los indígenas. Tenochtitlán, Tacuba, Cuauhtitlán, se encontraban en una ebullente tensión. Como lo refiere "*Los anales de Cuauhtitlán*".

La encomienda de Azcapotzalco fue dada inicialmente al conquistador Francisco Montejo. Después pasó a su hija Catalina y a su esposo Alonso Maldonado, quien murió en un naufragio, Catalina conservó la encomienda en las décadas de 1560 y 1570, precisamente cuando entraba como gobernador Don Antonio Valeriano.

Hombre letrado, honrado, cristiano, adquirió prestigio. Obtuvo una Cédula de felicitación de parte del Rey.

Fray Bautista confiesa que Valeriano le ayudó en la etimología y significación de muchos vocablos: "ayuda valiosa en la edad florida, más aun en la decrepitud, cuando, remitiendo una traducción que le envió el Padre, le dirigió su última carta, difícilmente trazada, porque estaba ya sordo, con los ojos enturbiados y la mano trémula, pero mantuvo su lucidez espiritual hasta lo último".

Y se califica a Don Fernando como "indio muy noble y de la prosapia real de los monarcas que fueron de esta ciudad, siendo uno de los que estudiaron en el Colegio de Santa Cruz de Tlatelolco, que salió muy erudito en la lengua latina, que entendía y hablaba con propiedad nuestro lenguaje castellano, gran retórico en su idioma y que por su buen talento le continuaron por cuarenta años el cargo de gobernador de los naturales de esta ciudad de Azcapotzalco, del que dio muy buena cuenta".

La *Historia de los Chichimecas,* obra de Ixtlixóchitl, en la edición de Kingeborough; se compone de las siguientes piezas:

I. Sumaria relación de los Toltecas.
II. Historia de los Señores Chichimecas.
III. Continuación de la Historia de México.
IV. Pintura de México.
V. Ordenanzas de Netzahualcóyotl.
VI. Orden y ceremonias para hacer un Señor.
VII. La venida de los españoles.
VIII. Entrada de los españoles en Texcoco.
IX. Noticia de los pobladores, etc.
X. Relación suscinta.
XI. Sumaria relación.
XII. Historia Chichimeca en 95 capítulos.
XIII. Cantares de Netzahualcóyotl.
XIV. Fragmentos de la vida del mismo.

Esta historia, en el terreno de la literatura, es una de las más bellas obras que nos transmitió el pasado. Por ejemplo: la historia fabulosa de Teuchimaltzin, la relación de los modos de Netzahualpilli en el gobierno de la familia, etc., son cuadros bien trazados de la cultura antigua...

Ixtlixóchitl debió terminar su *Nican Motecpana* después de 1563, puesto que el último milagro habla de un testamento fechado en marzo de ese año.

Su testimonio sobre la vida de Juan Diego tiene una fuerza de vivencia directa.

Don Fernando de Alva desde el *Nican Motecpana* es un precursor de un liderazgo novedoso. Es el periodista y publicista que capta lo permanente del hecho cotidiano; lo sobrenatural escondido en la corteza de lo humano, y está alerta a todos los niveles sociales: indígenas, españoles, sacerdotes, sacristán, mujeres; enfoca la atención a individuos y colectividades y detiene anécdotas, desmadeja acontecimientos en un proceso histórico. Es un líder de precocidad periodística y con sello guadalupano.

Reflexión, trabajos, compromisos

1) ¿Quién fue Don Fernando de Alva Ixtlixóchitl, y de quién era descendiente?
2) ¿Qué cargos desempeñó en el gobierno de México?
3) Cita algunas de sus obras históricas.
4) ¿De qué trata su *Nican Motecpana*?
5) ¿Qué valores tiene como historiador?
6) ¿En qué cualidades sobresale como periodista?

EL NICAN MOPOHUA

El Documento primitivo de las Apariciones de la Virgen de Guadalupe en México es el *Nican Mopohua,* llamado así porque comienza con estas dos palabras que significan: "*Aquí se narra*".

Fue escrito en elegante náhuatl poco antes o poco después de la muerte de Juan Diego (el P. Florencia propone una aproximación entre 1540 a 1545), por el indio noble y sabio Don Antonio Valeriano (1520-1605), poseedor del náhuatl clásico, su idioma natal, del castellano igualmente asimilado en su infancia y del latín, aprendido durante la colonia, amén de las demás ciencias, artes y humanidades que trajo consigo la conquista española.

Él, como muchos coetáneos suyos, asimiló perfectamente la cultura occidental y conservó la riqueza de su cultura nativa. Se reconoce como fuente de información al mismo Juan Diego (1474-1548), quien fue contemporáneo del padre de Valeriano y conocido de éste, coincidiendo los últimos años del vidente con la adolescencia y primera juventud del sabio. Este último contaría once años de edad en la fecha de las Apariciones y veintiocho a la muerte de Juan Diego.

Todos coinciden en reconocer una asistencia sobrenatural del Espíritu Santo en esta relación del Milagro Guadalupano, en grado tal, que los más serios investigadores lo llaman el "Evangelio de México", y a su autor, el "Evangelista de las Apariciones"

El original del *Nican Mopohua* fue escrito sobre papel hecho con palma de maguey, como los antiguos códices aztecas. El escritor usó los caracteres latinos reconocidos como los que aprendieron los nativos en la primera etapa de su conversión al cristianismo y consiguiente incorporación a la cultura europea.

Un ejemplar de papel de pulpa de maguey puede verse hoy todavía en el Museo de Antropología e Historia, sala Mexica, en la llamada "*Tira de la Peregrinación*".

La presente traducción del náhuatl al castellano la ha realizado el Sr. Pbro. Don Mario Rojas Sánchez, sacerdote de la Diócesis de

Huejutla, de él es la división de los versículos hasta lograr 218, para puntualizar los sentidos o hacer notables ciertas circunstancias que sugieren estudio especial.

El P. Mario Rojas se ha dedicado desde su juventud a los estudios del náhuatl clásico, de la historia, los documentos y los monumentos de las razas prehispánicas, en especial de la nación azteca.

El Autor ha logrado, con rara intuición, comprender la mentalidad de esa cultura, compenetrarse con ella, desentrañar su esencia y descifrar con acierto sus categorías mentales.

Tras una Visión concienzuda y reflexivo esfuerzo, ha logrado una versión de nuevo enfoque y trasmitirnos en nuestra lengua lo que la mentalidad azteca concebía, lo que a su modo indígena genuino redactó Valeriano, lo que en sus raptos místicos expresó Juan Diego, y la profundidad de las palabras de María Santísima que son, ante todo, un mensaje salvífico de tradición cristocéntrica.

Texto del Nican Mopohua

Aquí se cuenta, se ordena, cómo, hace poco, milagrosamente se apareció la perfecta Virgen Santa María Madre de Dios, nuestra Reina, allá en el Tepeyac de renombre Guadalupe.

Primero se hizo ver de un indito, su nombre Juan Diego; y después se apareció su preciosa Imagen delante del reciente Obispo Don Fray Juan de Zumárraga.

1. Diez años después de conquistada la ciudad de México, cuando ya estaban depuestas las flechas, los escudos, cuando por todas partes había paz en los pueblos.

a) Anteriormente en el Valle del Anáhuac guerreaban unos contra otros, con el único fin de tomar prisioneros para sacrificarlos al sol Huitzilopochtli, que era el dios que había convertido a los aztecas en su pueblo elegido. Vestidos de águilas y tigres, los aztecas luchaban, porque pensaban que los hombres debían de ayudar al dios-sol proporcionándole la sangre por medio de los sacrificios humanos, a fin de que pudiera luchar contra la luna y las estrellas y vencerlas todos los días. Estaban persuadidos de que cada prisionero sacrificado al sol, lo alimentaba y fortalecía en el divino combate.

Los aztecas tenían como base de su vida personal, familiar, social, la religión, y llegaron hasta a inventar la "guerra sagrada" para ayudar con su sangre a sus dioses. Todo el ciclo anual estaba ligado a cultos religiosos.

b) *In mitl in chimalli,* "la flecha y el escudo" metafóricamente dan a entender "guerra o batalla".

Para ellos la guerra tuvo dimensiones sociales, académicas y religiosas; así encontramos:

—*In mitl in chimalli:* la guerra social.

—*Xochiyaotl:* La guerra florida, como prácticas de entrenamiento militar.

—*Teoyaoyotl:* la guerra sagrada como visión huitzilopóchtlica del mundo, eje de la vida personal, social y nacional.

La guerra era un aspecto simbólico y real del funcionamiento de la sociedad azteca. Por ello, al decir que se suspendió la guerra, se está significando también que "se acabó nuestra sociedad, se acabó nuestra nación".

c) El evento de Guadalupe tiene como marco social una situación dramática de postguerra, una conquista que el *Nican Mopohua* interpreta como de aniquilación.

2. Así como brotó, ya verdece, ya abre su corola la fe, el conocimiento de Aquél por quien se vive: el verdadero Dios.

a) ***Pehua, xotla, Cueponi:*** el brotar, florecer, abrir la corola: desde el principio el lenguaje de las flores, el único que cumple, que conviene a Dios, para dirigirse el hombre a él, y para comunicarse él con los hombres.

b) En mayo de 1523 llegaron los tres primeros misioneros que se refugiaron en Texcoco, en el palacio de Netzahualpilli, aposentados por Ixtlixóchitl, en donde se dedicaron a estudiar la lengua. El 13 de mayo de 1524 desembarcaron los doce franciscanos en San Juan de Ulúa, quienes al llegar a México, encerrándose en retiro espiritual, comenzaron su obra evangelizadora.

c) A partir de la llegada de los misioneros, apenas un año después de la conquista de Tenochtitlán, y gracias a la predicación del Evangelio y al ejemplo de aquellos frailes que con tanto amor, dedicación y desinterés se entregaron a su educación, aquel pueblo idólatra y guerrero empezó a convertirse al Dios verdadero y a pedir el bautismo.

d) Aparece el Dios de la teogonía azteca: *Ipalnemohuani:* "Aquél por quien vivimos", uno de los nombres que los nahuas daban a Dios muchos años antes de tener noticia del *Evangelio*. Y el *Nican Mopohua* nos dice que éste es el Dios verdadero.

3. En aquella sazón, el año 1531, a los pocos días del mes de diciembre, sucedió que había un indito, un pobre hombre del pueblo,

Juan Diego

a) Precisión de tipo histórico. Los nahuas tenían una grande preocupación social por la historia: todo lo ponían muy explicado y muy averiguado. Para ellos el tiempo forma parte de la esencia de las cosas. Sin tiempo no hay ni las cosas ni los hombres; sin tiempo no hay historia. Por eso consignan cuidadosamente el tiempo en que ocurrió; porque no quieren que se pierda la historia del Tepeyac.

b) En náhuatl las realidades importantes se expresan de dos maneras (difrasismo); pero esta era una forma simbólica para iniciar o hacer comprensible una realidad fundamental. El pobre indito es, en el *Nican Mopohua,* la clave que dio principio e hizo comprensible el suceso del Tepeyac.

4. Su nombre era Juan Diego, según se dice, vecino en Cuauhtitlán.

a) Cuauhtitlán: "Lugar donde abundan las águilas", hace referencia al símbolo del águila que representaba al sol, por lo tanto, representaba a los aztecas como Pueblo del Sol. Había entre los aztecas caballeros tigre y caballeros águila, el texto del *Nican Mopohua* insinúa que él es caballero águila, cosa que se puede corroborar sabiendo que el nombre original de Juan Diego era Cuauhtlatoutzin: "El que habla como águila", es decir, el que explica la sabiduría de los caballeros águila, o el que expresa la sabiduría de Dios (sol) en cuanto que el águila es su símbolo".

Convento de Santiago Tlatilolco

5. Y en las cosas de Dios, en todo pertenecía a Tlatilolco.

a) Este versículo forma parte del análisis que hace el *Nican Mopohua*. Señala la posición o el lugar en que se encontraba la sede jurídica de la evangelización. Es, pues, una declaración de tipo ideológico y político.

"Tlatilolco" después de la conquista fue importante núcleo de evangelización, cerca de los límites del lago; por lo tanto, de alguna manera formaba parte del lugar que había llegado a ser el centro de la dominación española, por eso se le conocía como México Tlatilolco. Muy probablemente, para 1531, ya habían sido desplazados de allí todos los habitantes indígenas.

6. Era sábado, muy de madrugada, venía en pos de Dios y de sus mandados

a) Bíblica y católicamente hablando, el sábado es ya todo un símbolo lleno de sentido.

b) *Yetlatlalchipahua. Tlatlalchipahua,* alborear o amanecer.

Muy de madrugada: *huel oc yohualizinco* tiene en sus componentes la palabra noche *(yóhualli)*. Esto nos indica que el evento guadalupano tiene características arquetípicas, es decir, nos habla de un hecho que está al principio y que sirve de origen, es el nacer de algo nuevo y grande; era el *"bereshit"* en el principio del Génesis y del *Evangelio* de San Juan (Gén 1,1; Jn 1,1).

Cerro del Tepeyac

La tradición náhuatl nos narra que el principio del Quinto Sol (mundo actual) comenzó "cuando aún no era de noche" (en la oscuridad de la madrugada). Ciertamente el indio mexicano que escuchaba la narración de la Virgen de Guadalupe, al oír *yohualtzinco,* simbólicamente entendía que allí se estaba por iniciar un evento importante, fundamental: como el origen del mundo.

7. Y al llegar cerca del cerrito llamado Tepeyac ya amanecía.

a) **Cerrito:** *Tepetzintli.* El cerro es el símbolo de lo fuerte, lo consistente, lo pactado. Esta palabra se usa para el difrasismo que expresa la ciudad: *in atl in tepetl* (el agua y el cerro). Tiene un sentido religioso puesto que todos los templos se construían sobre pirámides que eran como apoyo para el *Teocalli* o Casa de Dios. El cerrito del Tepeyac aparece entonces como un lugar religioso y consistente.

b) Es bien sabido que casi en todas las religiones la cumbre de los montes es un punto de particular contacto con la divinidad; es allí donde misteriosamente se conjugan los cielos con la tierra. Nos viene fácilmente a la memoria la montaña sagrada del Sinaí, el, monte de la transfiguración, el monte de los Olivos, la montaña de Sión (Ex 19,2-8; Mc 9,2; Hch 1,12; Is 2,2-3; Sal 23,3; 67,16-17).

8. Oyó cantar sobre el cerrito, como el canto de muchos pájaros finos; al cesar sus voces, como que les correspondía el cerro, sobremanera suaves, deleitosos, sus cantos sobrepujaban al del *coyoltótl* y del *tzinitzcan* y al de otros pájaros finos.

a) Qué maravillosa música de pajaritos precede a la Madre de Dios. Nuestro hermano indígena, tan artista, tan inclinado a la

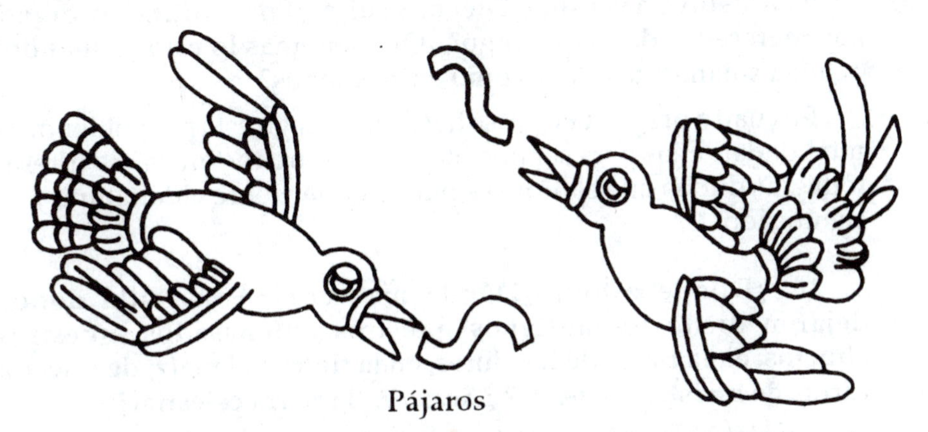

Pájaros

música y a la naturaleza, es bien conocido por "su Madre", que lo prepara psicológica y espiritualmente para su visita.

b) El canto, al igual que las flores y junto con ellas, son señal de las comunicaciones con Dios. "Se estableció el canto. Se fijaban los tambores. Se decía que así principiaban las ciudades; existía en ellas la música".

Aquí puede verse en los símbolos un anuncio de la nueva fisonomía espiritual de la ciudad, de la comunidad.

c) Principio de la verdad del Tepeyac: el canto, *cuicatl,* es la mitad difrásica de la verdad, la belleza, la filosofía. Simbólicamente se indica que lo que va a pasar es verdadero. Pero como el difrasismo del tener dos palabras, "Flor y canto" *(in xóchitl in cuicatl)* entonces hay una insinuación dramática de que la verdad de que aquí se trata, apenas se está gestando, está formándose. Según la cultura náhuatl aún hacen falta una serie de contradicciones para que la verdad se realice tal cual es.

d) Pájaros preciosos, *coyoltótolt, tzinitzcan:* La pluma y el ave, en la cultura prehispánica, son símbolo de la intermediación. Sólo quien tiene plumas puede atravesar los aires y ser intermediario entre el cielo y la tierra. Sólo el sacerdote de Tula, Quetzalcóatl, la Serpiente Emplumada, pudo resolver el problema teológico hombre-Dios, y el problema sociológico historia-trascendencia. La profusión de aves, al comenzar la narración, asegura que el evento guadalupano es de intermediación y de resolución de problemas sociales y religiosos.

e) Además va a ser un acontecimiento muy fecundo, lo dice el *coyoltótolt,* que significa pájaro cascabel: el cascabel y la sonaja son símbolo de fecundidad.

9. Se detuvo a ver Juan Diego. Se dijo: ¿Por ventura soy digno, soy merecedor de lo que oigo? ¿Quizá nomás lo estoy soñando? ¿Quizá solamente lo veo como entre sueños?

En cuatro preguntas que se hace Juan Diego está proponiendo la totalidad de ellas para ser posibles en esta circunstancia, y expresar todas las dudas que el indio se puede poner sobre Guadalupe y su significado.

10. ¿Dónde estoy? ¿Dónde me veo? ¿Acaso allá donde dejaron dicho los antiguos nuestros antepasados, nuestros abuelos: en la tierra de las flores, en la tierra del maíz, de nuestra carne, de nuestro sustento? ¿Acaso en la tierra celestial?

Inxochitlalpan intonacatlalpan, literalmente: "en el suelo florido, en el suelo de nuestra carne". *Xochitlalpan,* "paraíso terrenal". Clara conexión con la tradición náhuatl.

Por el símbolo de la flor como verdad, al decir que el Tepeyac es *Xochitlalpan:* "lugar donde abundan las flores", se nos declara que es el sitio de la verdad. *Tonacatlalpan,* el espacio de nuestra carne, se refiere al lugar de donde todos procedemos. *Tomoanchan,* lugar en donde Tonacatecutli, "el Señor de nuestra carne" va formando a los hombres y los va mandando al seno de sus madres en la tierra. De este paraíso hablaban los antiguos sabios *(tlamatinime).* Con estos símbolos, a Juan Diego le parece que el Tepeyac es un lugar que trasciende, que tiene características que van más allá del momento presente.

11. Hacia allá estaba viendo, arriba del cerrillo, del lado de donde sale el sol, de donde procedía el precioso canto celestial.

El Oriente es el lugar del sol, y el sol es uno de los símbolos de Dios. El Oriente, para los nahuas, también significa la vida. Entonces el hecho que ahora se inicia en el Tepeyac se refiere por una parte a Dios, y por la otra a la vida. Cuando un sacerdote subía a un templo dedicado al sol tenía el Oriente hacia donde veía y el Occidente a sus espaldas. Por eso, dado que la mención es explícita, este cerro del Tepeyac es la base simbólica de un santuario.

Pero como este templo, que va a tener mucha importancia, no está en expresión difrásica, es todavía un templo incompleto. El Oriente, es un símbolo que orienta hacia Dios (Is 41,2; Za 3,8; 6,12; Lc 1,78).

12. Y cuando cesó de pronto el canto, y dejó de oírse, entonces oyó que lo llamaban, de arriba del cerrillo, le decían: "Juanito, Juan Dieguito".

a) Cuando todo quedó en calma: Para la creación del Quinto Sol, todavía no era de noche, los dioses deliberaron hasta el momento en que se hizo el silencio.

Igualmente, el *Popol Vuh* narra que cuando no existían los hombres todo estaba en suspenso, y en calma. Este silencio, como el del Tepeyac, es lo que anticipa una nueva creación.

b) *Juantzin, Juan Diegotzin,* son diminutivos. El *tzin* significa reverencia, pequeñez, disminución, ternura de amor.

En el Tepeyac, el indio, el pobre, es persona. Además, como esta dignidad está puesta dos veces, difrásica *(Juantzin, Diegotzin),* esa dignidad de hombre nuevo realmente comienza ahora (aunque no se sabe todavía cómo). Se rompe la situación del conquistado que ya soporta desde hace muchos años.

c) La repetición del nombre evoca naturalmente las teofanías bíblicas:

Abraham, Abraham, Samuel, Samuel; Saulo, Saulo (Gén 22,1; 1 Sam 3, 4; Hch 9, 4).

13. Luego se atrevió a ir donde lo llamaban; ninguna turbación pasaba en su corazón ni ninguna cosa lo alteraba, antes bien se sentía alegre y contento por todo extremo; fue a subir al cerrillo para ir a ver dónde lo llamaban.

a) Los aztecas no se consideraban a sí mismos como pobres, siendo que hablaban a sus dioses cara a cara.

b) Se atrevió: *Yeemotlapaloa.* Del verbo *motiapaloa:* ser osado, audaz, ser temerario. La aventura que se va a desencadenar desde el Tepeyac, realmente requerirá osadía, audacia y temeridad.

No hay el inicial terror ante lo sagrado, que sobrecoge a otros videntes. Por aquí se puede rastrear su disposición interior.

14. Y cuando llegó a la cumbre del cerrillo, cuando lo vio una Doncella que allí estaba de pie...

a) Juan Diego va a su encuentro, no se insinúa que la Doncella se le apareció, o que es sobrenatural. Se menciona claramente que no es una mujer ordinaria *(cihuátl),* puesto que se le añade noble: *pilli.*

b) Estaba allí de pie: *Oncan moquetzinoticac.* Los nobles dominadores tanto aztecas, como mayas o españoles recibían a la gente sentados sobre tronos *(tlatocatepalli)* o taburetes *(tepalli)* o esteras *(petatl)*. En maya estera se dice *pop*, palabra que también significa pueblo. Y a los gobernantes los representaban sobre una estera, para significar que presidían o dominaban el pueblo. Por lo tanto, puesto que Ella está de pie, la nobleza que Juan Diego percibe en la Doncella no es una nobleza dominadora.

15. Lo llamó para que fuera cerca de Ella.
Nos hace notar que el indio y la Doncella se encuentran como iguales.

16. Y cuando llegó frente a Ella, mucho admiró en qué manera, sobre toda ponderación, aventajaba su perfecta grandeza:
a) Al estar en su presencia, Juan Diego se percata que aquella Doncella tiene una autoridad perfecta, que lo que ella va a decir ha de respetarse y acatarse como algo religioso y grande sobremanera.

17. Su vestido relucía como el sol, como que reverberaba.
El sol *(Tonatiuh)* era símbolo y sinónimo de Dios. En la cultura náhuatl los atavíos o vestiduras de las personas importantes llevaban objetos, señales y símbolos que decían a todo mundo quién era o qué hacía la persona que los portaba. El hecho de que la vestidura que encontró Juan Diego sea radiante como el sol, quiere decir que Ella tiene que ver con Dios, que Dios forma parte de su experiencia y de su personalidad.

18. Y la piedra, el risco en el que estaba de pie, como que lanzaba rayos;

19. El resplandor de Ella como preciosa piedra, como ajorca (todo lo más bello) parecía.

20. La tierra como que relumbraba con los resplandores del arco iris en la niebla.

21. Y los mezquites y nopales y las demás hierbecillas que allí se suelen dar, parecían como esmeraldas. Como turquesas aparecía su follaje. Y en su tronco, sus espinas, sus aguates, relucían como el oro.
La esmeralda, *chalchihuitl*, es el símbolo de la vida, y por eso al nacer un niño la esposa recibía como regalo un collar de*chalchihuites;* por eso ponían una de esas piedras en la boca de los muertos para

significar que vivían. La Guadalupana cambia el mundo de muerte en un mundo de vida.

Los resplandores del arco iris. Los colores eran cada uno un símbolo para los dioses, para las personas y las cosas. Esta expresión habla de un mundo que ha vuelto a retomar la lógica simbólica de los indios.

La turquesa, *in teoxihuitl,* su color azul es símbolo de la persona humana. Algunas máscaras funerarias eran de mosaico de turquesa para perpetuar la personalidad del difunto. En nuestro texto la turquesa está simbolizando que el mundo que se inaugura en el Tepeyac es un mundo humanizado.

b) Todo ese cúmulo de elementos son manifestaciones de algo sobrenatural y divino. La nube era, para los mexicanos como para los israelitas, un símbolo de la presencia de Dios (Ex 13,21; Núm 9,15; 2Re 8,10). Nos vienen a la memoria las descripciones de las manifestaciones divinas de las que habla la Biblia: el Horeb, el cerro de las visiones de Ezequiel, Betlehem, la transfiguración, Pentecostés, la conversión de Pablo, las descripciones del *Apocalipsis* (Ex 19,16-20; 24,10; Ez 1,4-28; Lc 2,8-14; 9,28-36; Hch 2,1-4; 9,1-19; Ap 21,9-27).

22. En su presencia se postró. Escuchó su aliento, su palabra, que era extremadamente glorificadora, sumamente afable, como de quien lo atraía y estimaba mucho.

a) Se nos dice de qué manera es la evangelización guadalupana, y puesto que se usan cuatro términos para explicarla, allí se están dando todas las características que debe tener la evangelización. Dos palabras se refieren a la evangelización en sí misma, y las otras dos hablan del evangelizador.

b) Algunos de los primeros evangelizadores rechazaban la cultura india como idolátrica, supersticiosa y diabólica. Esta del cerrito es una evangelización diferente: atrae mucho.

23. Le dijo: Escucha, hijo mío el menor, Juanito: ¿a dónde te diriges?

Noxocoyouh, de *xocoyótl*, hijo o hija menor o postrera. Hablando cariñosamente, equivale al "chico de los hijos", el más pequeño.

24. Y él le contestó: Mi Señora, Reina, Muchachita mía, allá llegaré, a tu casita de México-Tlatilolco, a seguir las cosas de Dios que nos dan, que nos enseñan quienes son las imágenes de nuestro Señor: nuestros sacerdotes.

a) El indio no ve en la Virgen a alguien prepotente y exterminador. Reconoce en ella superioridad, pero la expresa de una manera extrañamente familiar y suave.

b) Se expresa con gran fe de los sacerdotes.

c) Antes de que la Virgen le pida algo, él ya le ofrece su casita en México-Tlatilolco.

25. Enseguida, con esto dialoga con él, le descubre su preciosa voluntad:

26. Le dice: Sábelo, ten por cierto, hijo mío el más pequeño, que yo soy la perfecta siempre Virgen Santa María, Madre del Verdaderísimo Dios por quien se vive, el Creador de las personas, el dueño de la cercanía y de la inmediación, el dueño del cielo, el dueño de la tierra; mucho quiero, mucho deseo que aquí le levanten mi casita sagrada,

a) La "perfecta-siempre-virgen" quien se presenta es simple y sencillamente eco y resonancia de la Virgen de los *Evangelios* de san Mateo y de san Lucas (Mt 1,28-25; Lc 1,26-38). La Iglesia es firme en su tradición secular, proclamando la perpetua virginidad de María; Guadalupe es un eslabón en la tradición de esta doctrina.

"Santa María". El adjetivo "santa" evoca naturalmente el "llena de gracia" del saludo angélico (Lc 1, 28) y el Agía María del Concilio de Éfeso (Ep II *Cyrilli ep. Alex, ad. Nestorium, Ench. Symb,* n. 251). María, objeto de la benevolencia divina, es hecha partícipe en manera singular de la santidad de Dios.

b) Viene luego una nota teocéntrica fundamental, de la más grande importancia para la metodología de la evangelización guadalupana. La Virgen está diciendo que ella es la Madre de los antiguos dioses nahuas, y menciona sólo los nombres de aquellos dioses que no tenían representación en imágenes, pero que formaban parte de la teología más pura, sobre todo de la teología inmediatamente anterior a la conquista.

La Guadalupana dice que ella es la Madre de:

—*In Huelnelli Teotl Dios:* Dios de Gran Verdad.

—*In Ipalnemohuani:* Aquél por quien vivimos.

—*In Teoyocoyani:* El Creador de las personas.

—*In Tloque Nahuaque:* El Dueño de lo que está cerca y junto. Se traduce como lo que nos sobrepasa: éste es el nombre del Dios de la historia.

—*In Ilhuicahua in Tlaltipaque:* El Señor del cielo y de la tierra.

—*Teimattini:* El Providente.

Con todo esto lo guadalupano recupera para el cristianismo parte de la inmensa riqueza de la teología náhuatl. La evangelización india se encarna en estos valores que, con todo el discurso del *Nican Mopohua,* es un contenido que llega a tener una plenitud que es realmente universal.

c) Aquí el mensaje guadalupano toca el corazón del misterio revelado. María de Guadalupe es la Virgen Madre de Dios, es la Theotókos de la más auténtica tradición antigua, canalizada en los documentos de los Concilios Ecuménicos, desde Éfeso hasta el Vaticano II (Ep. II *Cyrilli ep. Alex. ad Nestorinm. Ench Symb,* n. 251, CVII. *Lumen Gentium* nn. 52-53. 54, 61.63).

El Dios anunciado por María a Juan Diego, es el Dios de la *Biblia,* sobre todo el Dios Padre revelado por Jesús, un Dios cercano a toda persona; metido en su vida: "El Dueño de la cercanía y de la inmediación".

Al poder creador de Dios no lo revela como totalmente superior a todas las cosas, se une su condescendencia e intimidad con sus creaturas: es el Creador en quien está todo, expresión que señala a un Dios cercano a nosotros, presente en nuestro mundo y activo en nuestra historia.

El Creador, el Santo, el Altísimo es también el Emmanuel, el Dios con nosotros: que no está lejos, pues en él vivimos, nos movemos y somos (Hch 17, 28).

d) En este lugar: *Inic nican,* no dice simplemente *nican* (en este lugar), lo dice de una manera enfática. Es importante definir y aclarar el lugar de la fe. Con esto se descarta la ciudad de México, sede de la evangelización, y se cambia el lugar por otro, por el de los pobres, por el Tepeyac.

Juan Diego le había dicho a la Virgen: *"Tengo que llegar a tu casa de México"*, pero la Guadalupana dice que su casa, su ermita, la quiere en el Tepeyac; y no dice que quiere otra casa: ¿está insinuando que el templo que hay en México no es su casa? Es claro que lo que ella se propone en el cerrito es otra cosa.

Por lo tanto, es de capital importancia que la sede de la evangelización no está en el mismo lugar en donde están los dominadores.

27. En donde lo mostraré, lo ensalzaré, al ponerlo de manifiesto;

28. Lo daré a las gentes con todo mi amor personal, en mi mirada compasiva, en mi auxilio, en mi salvación.

a) La nueva traducción, que ha tenido en cuenta muy de cerca los matices de la gramática náhuatl, descubre que el foco y centro de interés es Dios.

Ella se presenta como Madre de un Dios cuya serie de atributos lo hacen el centro de la atención. Y así sigue siéndolo a lo largo de todo el relato. Implícitamente o explícitamente se hace mención de Dios, de lo divino en innumerables versículos, en especial todo el relato de las flores. Sí, ella es Madre de Dios, pero es criatura; y tiene en primer lugar deberes que cumplir con él: darlo a conocer, glorificarlo, manifestarlo, entregarlo a las gentes...

Efectivamente el verbo *nextia* está formado del verbo *neci,* aparecer, y del sufijo causativo *tía;* su significado es: mostrar, hacer, aparecer.

El verbo *pantlaza* (*pan,* sobre; *tlaza,* arrojar), tiene varios significados: engrandecer, ensalzar a otro, poner encima, en la superficie, arrojar algo fuera, encumbrar la tierra, descubrir un secreto, divulgar algo, dar a luz.

La Virgen Madre es una imagen, un reflejo, un trasunto de Dios. Conocerla a ella, es introducirse en el conocimiento del verdadero Dios.

b) La evangelización es dar a conocer (mostraré) y también actuar en consecuencia (daré); un difrasismo que por la partícula *nic,* nos indica imperativo: *Nicnextix nicpantlazas.* Es también imperativo que la evangelización tenga estos dos elementos de coherencia entre palabras y obras, para la credibilidad.

La evangelización abarca todo, por eso sus características se expresan con cuatro verbos (como símbolo de la totalidad). Si la evangelización no alcanza a toda la realidad, no es evangelización.

c) A las gentes: *Ixquich,* literalmente todos. Afirmación universalista.

d) Nos quiere dar amor que significa la solidaridad en el grado máximo porque se puede llegar hasta dar la vida por el hermano.

—Compasión, de compartir, convivir con los demás, sentir sus penas y dolores.

—Auxilio que indica que el interesado ha puesto todos los medios y se le van a completar. La promoción humana es colaboración, supone la participación consciente de los interesados.

—Salvación: amplísimo el término, y abarca más de lo que podemos pensar o desear.

29. Porque yo en verdad soy vuestra Madre compasiva,

Hay que decirlo claramente: El Evangelio del Tepeyac es todo un cántico a la maternidad espiritual de María, entonado por ella misma. Las primeras palabras que brotaron de sus labios lo proclaman con elocuencia (Cfr v. 23). Y en el relato se multiplican a profusión las frases maternales, llenas de ternura y amor.

La maternidad espiritual de María en el Tepeyac es la perpetuación, la actualización de su maternidad del Calvario y de Pentecostés (Jn 19,25-27; Hch 1,14).

La Virgen del Tepeyac se manifiesta a la manera de la *Mujer del Apocalipsis:* una Madre celestial embarazada que está a punto de dar a luz (Ap 12,1-4). Salvo que el ambiente de tragedia que se cierne tanto en el Calvario como en torno a la *Madre del Apocalipsis,* cuyo hijo es esperado con acechanza por el dragón para devorarlo, está completamente ausente en el misterio de Guadalupe. Aquí es la Madre que lleva en su seno al que está por nacer en la alegría y en el gozo del alumbramiento.

Un detalle que para nosotros sería casualidad, pero que en Dios se llama Providencia, es el nombre del protagonista. Allá en el Calvario, al pie de la Cruz, un discípulo de Jesús, símbolo de todos los cristianos, llamado *Juan,* escuchó de los labios de su Maestro moribundo aquella palabra:

"¡He ahí a tu madre!" (Jn 19, 27); y aquí en el Tepeyac, otro Juan, el símbolo y representante de todo un pueblo que estaba por surgir, era proclamado por la misma Virgen María: ¡el más pequeño de sus hijos!

30. Tuya y de todos los hombres que en esta tierra estáis en uno,

a) Estáis en uno simbolizados... reunidos. Es decir los naturales de esta tierra, con sus diferentes tribus y razas: azteca, mixteca, zapoteca, etc.

31. Y de las demás variadas estirpes de hombres, mis amadores, los que a mí clamen, los que me busquen, los que confíen en mí.

a) Es un mensaje universal. La maternidad espiritual de María en el Tepeyac no conoce límites, no se cierra a un individuo, ni siquiera se limita a un pueblo, sino que se despliega en horizontes universales.

b) Que me amen, que me hablen, que me busquen y en mí confíen. Esta expresión es la única en todo el texto del *Nican Mopohua* que está centrada en la Guadalupana. La Virgen, poniendo cuatro términos totalizantes, nos entrega su proyecto: que el que ama, invoca, busca y confía en la Virgen de Guadalupe hace lo mismo con el indio pobre. Este convenio tiene un tinte misionero pues el verbo *tzatzilia* se usa no únicamente para llamar a alguien, sino para anunciar a gritos algo.

32. Porque allí escucharé su llanto, su tristeza, para remediar, para curar todas sus diferentes penas, sus miserias, sus dolores.

a) Un primer aspecto del acontecimiento del Tepeyac es ser anuncio de liberación. Igual que el de Dios: "Yo soy el Dios de Abraham, de Isaac y de Jacob... bien vista tengo la aflicción de mi pueblo en Egipto y he escuchado su clamor... Conozco sus sufrimientos. He bajado para librarle de la esclavitud y conducirlo a una tierra buena y espaciosa".

Si la Virgen de Guadalupe nos dice que quiere escuchar llanto, tristezas, miserias, significa que los tenemos, que ha llegado el tiempo de la liberación.

b) Un rasgo conmovedor y característicamente evangélico. "Jesús, escribe San Mateo, recorría toda Galilea, enseñando en las sinagogas, proclamando la Buena Nueva del Reino y curando toda enfermedad y dolencia en el pueblo (4, 23). Jesús evangeliza y sana; proclama la Buena Nueva y cura toda dolencia. Las curaciones son signos sensibles de la verdad de la evangelización.

En el caso de María de Guadalupe, ella desea continuar, por su parte, esa misión evangelizadora llena de misericordia. Evangeliza de la misma forma que Cristo: "Enseñando, proclamando, curando".

33. Y para realizar lo que pretende mi compasiva mirada misericordiosa, anda al palacio del obispo de México, y le dirás cómo yo te envío, para que le descubras cómo mucho deseo que aquí me provea de una casa, me erija en el llano mi templo; todo lo contarás, cuanto has visto y admirado, y lo que has oído".

a) En la Imagen de la Santísima Virgen aparece la mirada compasiva en el hecho de ver de soslayo: *Teixtlapalitta.*

b) No nos dice que Juan Diego es mandado a la casa del Obispo, sino a su palacio *(Itecpanchan);* de alguna manera el prelado queda identificado con los señores aztecas y con los recién venidos señores españoles, que también vivían en palacios.

c) La Virgen María respeta el orden jerárquico instituido por su Hijo. Invita al diálogo y colaboración con el obispo. El amor al Papa y a los obispos está cimentado en el Tepeyac.

El obispo preside y autentifica el acontecimiento guadalupano. Es por esto por lo que siempre, a lo largo del relato de las apariciones, esta relación constante con el obispo, quien preside la caridad y quien debe aprobar e impulsar lo que la Virgen María desea en beneficio de toda la comunidad. Ya que es un deber de toda cabeza y corazón de la comunidad, acoger las iniciativas que vienen de los simples fieles, pues muchas veces la sabiduría más alta puede encontrarse en los más humildes y sencillos.

d) La idea casa-templo responde a las exigencias religiosas más profundas del hombre. Todo grupo religioso humano ha sentido la imperiosa urgencia de determinar y separar un sitio para consagrarlo a la divinidad y para que la divinidad tome posesión de él y en él habite. Limitándonos a dos momentos de la religión revelada, Yahvé ordenó a Moisés "Me han de hacer un santuario para que yo habite en medio de ellos" (Ex 25, 8). Y una vez construida la Tienda en el desierto, la Nube cubrió la Tienda de Reunión y la gloria de Yahvé llenó la Morada (Ex 40, 34). Más tarde, Salomón quiso levantar el Templo de Jerusalén y Yahvé aceptó "habitar en medio de los hijos de Israel" (1 Re 6,13); y dijo: "He escogido y santificado esta casa, para que en ella permanezca mi nombre, para siempre. Allí estarán mis ojos y mi corazón todos los días". (2 Crón 7,16).

Es útil reflexionar un poco sobre el término casa-templo. Ante todo es la misma terminología que emplearon David y Natán, cuando el rey quiso edificarle una casa-templo a Yahvé (2 Sam 7, 1-16). Además la casa es el sitio del encuentro familiar, es el lugar de convivencia entre el padre, la madre, y los hijos.

Lo que más cautiva en la petición de la Virgen, es que ella no desea una casa-templo con el fin de recibir allí homenaje y veneración, quiere una casa, un sitio de encuentro familiar, mas no para ella, sino para Dios y para nosotros. Claramente lo ha dicho. Quiere ocuparse ahí en dar a conocer al verdaderísimo Dios y en escuchar los llantos y dar remedio a las necesidades de sus hijos.

e) El pobre evangeliza a quien tiene el poder en la Iglesia. La voluntad de la Virgen sólo se realizará si Juan Diego cuenta bien lo que ha visto, admirado y oído. La misión del indio es intermediadora entre la voluntad de la Virgen y la acción del obispo.

34. Y ten por seguro que mucho lo agradeceré y lo pagaré,

35. Que por ello te enriqueceré, te glorificaré;
Te glorificaré: *nimitzcuiltonoz, nimitztlamachtiz;* los dos verbos usados significan una dicha y felicidad no ordinarias que proceden de la Divinidad. Él mismo (el Autor de la Vida) es bienaventuranza, riqueza.

36. Y mucho de allí merecerás con que yo retribuya tu cansancio, tu servicio con que vas a solicitar el asunto al que te envío.

La evangelización es una tarea exigente. Supone cansancio, servicio. Hacer todo lo que está de nuestra parte.

37. Ya has oído, hijo mío el menor, mi aliento, mi palabra; anda y haz lo que está de tu parte.

38. E inmediatamente en su presencia se postró. Le dijo: "Señora mía, Niña, ya voy a realizar tu venerable aliento, tu venerable palabra; por ahora de Ti me aparto, yo, tu pobre indito".
Entiende a la primera, la misión que ha recibido y la acepta. Es necesario actuar, hacerla realidad.

39. Luego vino a bajar para poner en obra su encomienda: vino a encontrar la calzada, que viene derecho a México.

40. Cuando vino a llegar al interior de la ciudad, fue directamente al Palacio del obispo, que muy recientemente había llegado, gobernante, sacerdote; su nombre era D. Fray Juan de Zumárraga, sacerdote de san Francisco.

a) ¿Quién es este "nuevo obispo"? A pocos hombres debe tanto México como a este vasco, el primero en contemplar el retrato que dio la Virgen a sus mexicanos. Él consiguió traer la primera imprenta que hubo en América, negoció en Toledo la primera Universidad, fundó el Hospital del Amor de Dios, trajo de España árboles frutales, semillas de lino y cáñamo y hasta moriscos de Granada para enseñar a los indios el cultivo de la seda, ganado lanar y artesanal para que se enseñasen a tejer telas, alfombras y tapicería.

Fray Juan de Zumárraga

b) Este personaje que en el *Nican Mopohua* se nombra, Juan de Zumárraga, no es únicamente el histórico; en él sincrónicamente están significados todos aquellos que tuvieron, tienen y tendrán la autoridad en la estructura eclesiástica.

41. Y en cuanto llegó, luego hace el intento de verlo, les ruega a sus servidores, a sus ayudantes, que vayan a decírselo:

42. Después de pasado largo rato vinieron a llamarlo, cuando mandó el señor obispo que entrara.

43. Y en cuanto entró, luego ante él se arrodilló, le descubre, luego ya le cuenta el precioso aliento, la preciosa palabra de la Reina del Cielo, su mensaje, y también le dice todo lo que admiró, lo que vio y lo que oyó.

a) El indio trata de ver obispo; tiene que soportar un burocratismo casi insuperable: es necesario rogar a los criados. Tiene que pasar un buen rato hasta que el obispo "mande" que puede entrar. En México-Tlatilolco Juan Diego vuelve a ser un pobre, un indio esforzado.

b) Aquí comienza la aventura dramática de Juan Diego; por eso Juan Diego al entrar "se arrodilló", actitud que antes no había tenido hacia la Virgen.

c) Juan Diego cumple su misión al pie de la letra, dice exactamente cuanto había admirado, visto y oído. Según su mentalidad, puesto que él estaba actuando justamente como mediador, con su triple acción debía de realizarse su encomienda.

44. Y habiendo escuchado toda su narración, su mensaje, como que no mucho lo tuvo por cierto.

"No lo tuvo por cierto". Estas palabras son tremendas. Quien es oficialmente evangelizador no cree. Es una situación límite.

En las *Informaciones de 1666* dicen los testigos indígenas que en esta primera entrevista el obispo y sus acompañantes hicieron burla de Juan Diego.

45. Le respondió, le dijo: "Hijo mío, otra vez vendrás, aun con calma te oiré, bien aun desde el principio miraré, consideraré la ràzón por la que has venido, tu voluntad, tu deseo".

a) Retarda el momento de la acción evangelizadora: "otra vez vendrás", pero no señala día ni hora. Acá en la ciudad empieza a correr otro tiempo. Para el náhuatl el tiempo forma parte del ser de las cosas; posponer la respuesta es posponer la esencia misma de la evangelización guadalupana.

Acá se tiene otro tiempo. "Se deberá volver a repetir toda la historia", "lo veré muy desde el principio".

b) Así expresa el obispo su duda, y le responde con las reticencias del poderoso, no obstante su espíritu excepcional: ya te oí, lo voy a considerar, reflexionar, luego te contesto.

46. Salió; venía triste porque no se realizó de inmediato su encargo.

Aunque el discurso del obispo formalmente dejaba abierta la puerta, de hecho tiene resultados desastrosos para Juan Diego y lo deja frustrado. En la sensibilidad profunda del indígena del Anáhuac, no queda ninguna esperanza.

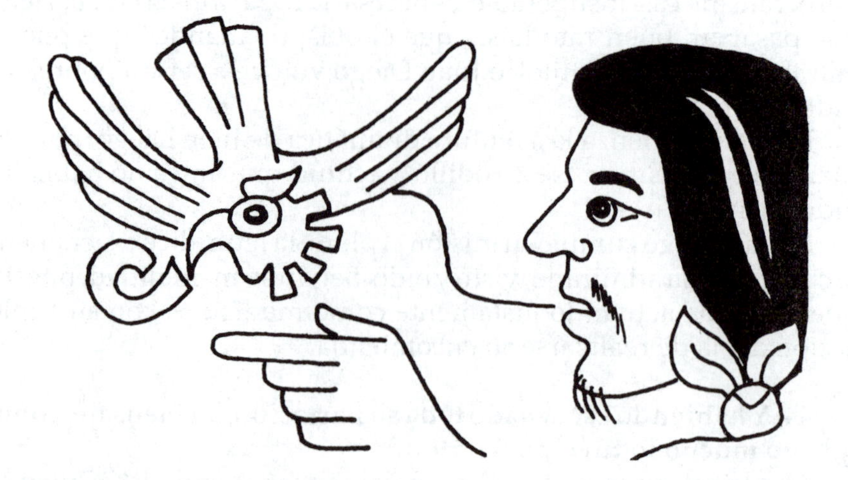

47. Luego se volvió, al terminar el día, luego de allá se vino derecho a la cumbre del cerrillo.

De todas maneras Juan Diego cumple su compromiso: No tiene empacho en ser portador cumplido de su fracaso.

48. Y tuvo la dicha de encontrar a la Reina del Cielo: allí cabalmente donde la primera vez se le apareció, lo estaba esperando.

49. Y en cuanto la vio, ante ELLA se postró, se arrojo por tierra, le dijo:

Se postró, se arrojó por tierra, la primera vez Juan Diego había hablado con la Virgen estando él de pie. Todavía siente los efectos de la frustración que acaba de sufrir, y la expresa con esta actitud propia del oprimido, del frustrado.

50. Patroncita, Señora, Reina, Hija mía la más pequeña, mi Muchachita, ya fui donde me mandaste a cumplir tu amable aliento, tu amable palabra; aunque difícilmente entré a donde es el lugar del Gobernante Sacerdote, lo vi, ante él expuse tu aliento, tu palabra, como me lo mandaste.

Tlacaetl: persona noble, generosa, magnífica, y la llama "la más pequeña" *(noxocoyouhe)*, al constatar Juan Diego que ante el prelado la palabra de la Virgen no vale, no se toma en cuenta, concluyó él que la situación de la Señora es igual a la del indio oprimido. Es como si le estuviera diciendo: "te han despreciado como me desprecian a mí". La situación y la causa del indio se identifica con la situación y la causa de la Virgen.

51. Me recibió amablemente y lo escuchó perfectamente, pero, por lo que me respondió, como que no lo entendió, no lo tiene por cierto.

52. Me dijo: "Otra vez vendrás, aun con calma te escucharé, bien aun desde el principio veré por lo que has venido, tu deseo, tu voluntad".

53. Bien en ello miré, según me respondió, que piensa que tu casa que quieres que te hagan aquí, tal vez yo nada más lo invento, o que tal vez no es de tus labios.

a) Juan Diego repite exactamente todo el discurso del obispo. Lo único que no repite es que el prelado le había dicho "Hijo mío". Quizás el indio no acepta este trato paternal que se da en las palabras, pero que se niega en los hechos.

b) "Me recibió amablemente". Es la suavidad propia del pobre. Juan Diego trata de no evidenciar crudamente la actitud del obispo. Parece que su juicio sobre él no es amargo ni resentido.

"Vi perfectamente, por la manera como me respondió": Juan Diego asume casi la actitud de denuncia. El indio no es tonto: analiza y concluye.

"Él piensa que acaso yo nada más invento". El obispo no había dicho esto. Pero sus acciones demuestran muy claramente lo que ahora Juan Diego afirma. "Piensa que tal vez no es orden tuya". Con esta frase afirma el *Nican Mopohua* que el obispo también negó el proyecto de la Virgen. Ni aceptó al indio ni aceptó el mensaje de María. Realmente tenía razón Juan Diego en el desánimo que experimentó al salir del palacio.

54. Mucho te suplico, Señora mía, Muchachita mía, que a alguno de los nobles, estimados, que sea conocido, respetado, honrado, le encargues que conduzca, que lleve tu amable aliento, tu amable palabra para que le crean.

El trauma que sufre Juan Diego es realmente profundo. El indio ya no se ve como es, se ve según la imagen que otros tienen de él. Como el obispo no creyó en él, el pobre tampoco cree en sí mismo. La única persona que vale es la poderosa. El resultado es que Juan Diego ya no acepta su misión. Además, lo más grave es que

Juan Diego usa cuatro palabras para referirse a los opresores, y como el cuatro es el símbolo de la totalidad, el indio está afirmando que la "totalidad social" debe ser de los respetados, de los valiosos, los que ostentan un nombramiento.

55. Porque en verdad yo soy un hombre del campo, soy mecapal, soy parihuela, soy cola, soy ala; yo mismo necesito ser conducido, llevado a cuestas, no es lugar de mi andar ni de mi detenerme allá a donde me envías, Virgencita mía, Hija mía menor, Señora, Niña.

a) *Cuitlapilli*, "cola o rabo", *atlapalli*, "hoja de árbol o hierba": estos dos vocablos unidos significan "gente menuda". *Mecapal, cacaxtli*(parihuela): enseres de carga, aún en uso en muchas regiones del país; el primero: una faja de *ixtle* que pasa por la frente y ayuda a sostener la carga; el segundo un armadijo de varas y cuerdas donde se acomoda el fardo, y va apoyada en las espaldas del cargador. Son expresiones de mucha humildad, tomadas de los refranes y modos de hablar de aquel entonces, del habla popular. Como si dijera: "No soy más que un animal de carga; necesito que otras personas me guíen; me siento fuera de mi ambiente en esos lugares a donde me mandas..."

b) Con esta actitud Juan Diego se autodestruye. Ahora está convencido de que ser campesino es razón suficiente para dejar de ser el enviado de la Virgen. Después de su ida a México con el obispo, Juan Diego es una persona totalmente desecha.

56. Por favor dispénsame: afligiré con pena tu rostro, tu corazón; iré a caer en tu enojo, en tu disgusto, Señora y Dueña mía.

"Dispénsame". Finalmente el pobre se siente moralmente culpable.

"Caeré en tu enojo". En su desmoronamiento está dispuesto a afrontar incluso la última consecuencia. De esta manera el proyecto aparece ya definitivamente cerrado.

"Señora y Dueña mía". Sin embargo, en la espiritualidad y profundidad india ya no existe más que un sólo señorío: el de la Virgen.

El nivel religioso que da a estas palabras es conmovedor. Hay un resquicio inconmovible, hay un lugar de convencimiento inquebrantable. La Guadalupana es verdadera, le ha restituido su dignidad a la persona.

57. Le respondió la Perfecta Virgen, digna de honra y veneración:
La más genuina y antigua tradición cristiana. La Iglesia es firme en su tradición secular, proclamando la perfecta Virginidad de María.

58. Escucha, el más pequeño de mis hijos; ten por cierto que no son escasos mis servidores, mis mensajeros, a quienes encargue que lleven mi aliento, mi palabra, para que efectúen mi voluntad;

59. Pero es muy necesario que tú, personalmente, vayas, ruegues, que por tu intercesión se realice, se lleve a efecto mi querer, mi voluntad.

a) Juan Diego ha manifestado su convicción de ser inútil para la misión a la que lo destinaban. Así ha acontecido a los profetas (Ex 4, 10; Is 6,5; Jr 1,61). La Santísima Virgen reafirma su elección. Dios escoge a los humildes (1Cor 1,27-29).

Ella dice que son muchos sus servidores y mensajeros, pero el sujeto de la misión guadalupana es el pobre, porque en el plan de la salvación el pobre es sujeto intransferible, esencial. Por eso María de Guadalupe nos recuerda la presencia de Yahvé, que es un Dios que siente en sus entrañas la situación del pueblo y se pone de su lado.

b) La Virgen no acepta de ninguna manera el cambio de sujeto. Pero no oculta la realidad de la opresión que está experimentando Juan Diego. Por eso comienza su respuesta diciéndole: "Escucha, el más pequeño de mis hijos" (*noxocoyouhe*, que también puede significar: oprimido, reducido...)...

c) *Huel tehuatl*, "tú mismo o en persona"; *ic tinemiz*, "solicitar", *Ipan nitlatoa*, "favorecer algún negocio". *Huel momatica.* Se compone este último vocablo del semipronombre *mo;* de *maitl*, mano, y de *ca*, con la ligadura *ti;* "con tus manos", que equivale a "con tu mediación y ayuda". Significa: favorezcas-apoyes. La Guadalupana pide el apoyo del pobre para su proyecto. La persona del indio está rehecha.

60. Y mucho te ruego, hijo mío el menor, y con rigor te mando, que otra vez vayas mañana a ver al obispo.

Nimitztlaquauhnahuatia: mandar con rigor. El pobre debe aceptar su misión como una orden rigurosa, no es optativa. Pero suavizada. "Mucho te ruego".

61. Y de mi parte hazle saber, y oír mi querer, mi voluntad, para que realice, mi templo que le pido.

a) Mi voluntad para que se haga realidad y edifique mi templo, son dos cosas las que quiere llevar a cabo la Virgen: su voluntad (deseo liberador) y su templo.

b) La Santísima Virgen, mujer judía en su vida histórica, recordaría el templo de Jerusalén, donde llevó al Niño Jesús y fue objeto de las profecías de Simeón, y cuando encontró al Niño perdido, ocupado en las "cosas que son de su Padre". Marcaría la expresión "templo" en este contenido que Cristo le dio: "Mi casa es casa de oración" y cuando arrojó a los mercaderes, porque profanaban la "Casa de mi Padre".

Otra idea, centrada en esta expresión era "destruid este templo y en tres días lo levantaré". No se refería, como sabemos, al templo edificado por Zorobabel, sino al templo de su cuerpo y signo de su resurrección. El deseo vivo es una decisión de muchos recuerdos y anhelos fuertes que tiene la Virgen.

62. Y bien, de nuevo dile de qué modo yo, personalmente, la siempre Virgen Santa María, Yo, que soy la madre de Dios, te mando.

En el proyecto Guadalupano el pobre es persona, tiene dignidad, se le confía una misión. El pobre, sabiendo que tiene una misión, tiene confianza en sí mismo.

La Virgen nos lanza un reto: Ella se inclina por el más pobre, por el más desvalido, necesitado, marginado que piensa que no sirve para nada. Y lo promueve. "Yo, la Madre de Dios, te envío...".

63. Juan Diego, por su parte, le respondió, le dijo: Señora mía, Reina, Muchachita mía, que no angustie yo con pena tu rostro, tu corazón; con todo gusto iré a poner por obra tu aliento, tu palabra; de ninguna manera lo dejaré de hacer, ni estimo por molesto el camino.

Juan Diego recoge y abraza nuevamente la misión de muy buen grado. Pero sigue preocupado por su actitud anterior ante la Virgen: "no aflija yo tu rostro, tu corazón". Ansía cumplir su compromiso como una obligación: "de ninguna manera dejaré de hacerlo ni me será penoso".

64. Iré a poner en obra tu voluntad, pero tal vez no seré oído, y si fuere oído quizás no seré creído.

De ninguna manera elude las dificultades. Todo proyecto se

gesta, se profundiza en medio de muchos problemas. Sigue pensando que es él en quien el obispo ve inconveniente.

65. Mañana en la tarde, cuando se meta el sol, vendré a devolver a tu palabra, a tu aliento, lo que me responda el gobernante sacerdote.

La puesta del sol y la noche eran símbolo de la novedad, de los antecedentes, del inicio, de la muerte sin la cual no es posible mañana el nuevo día, la vida nueva. Estas palabras son un horizonte de esperanza que pone Juan Diego en el obispo.

66. Ya me despido de Ti respetuosamente, Hija mía la más pequeña, Jovencita, Señora, Niña mía, descansa otro poquito.

67. Y luego se fue él a su casa a descansar.

a) ¡Con qué cariño le habla a nuestra Madre!

b) Otra vez se repite la impresión que tiene Juan Diego de que lo que le pasa a él o lo que él necesita es lo mismo que le pasa o necesita la Virgen: "Descansa", y luego se fue él a descansar.

68. Al día siguiente, domingo, bien todavía en la nochecilla, todo aún estaba oscuro; de allá salió, de su casa, se vino derecho a Tlatilolco, vino a saber lo que pertenece a Dios y a ser contado en lista; luego para ver al señor obispo.

69. Y a eso de las diez fue cuando estuvo preparado: se había oído Misa y se había nombrado lista y se había dispersado la multitud.

70. Juan Diego luego fue al palacio del señor obispo.

Cuando aun era de noche. El optimismo final del día anterior se recuerda nuevamente, insinuando que renace de nuevo el proyecto.

Pasar lista: Se refiere al registro que se llevaba de todos los bautizados. No estar el domingo para pasar lista podría despertar sospechas de haber regresado a las idolatrías.

Y a eso de las diez, ha pasado mucho tiempo desde la madrugada, probablemente tenían una catequesis o la tomada de lista era tardada.

71. Y en cuanto llegó hizo toda la lucha por verlo, y con mucho trabajo otra vez logró su objetivo.

Juan Diego vence las dificultades para ir a cumplir su misión. Hay otros problemas aún mayores que lo humillan. Pero él cumple.

72. A sus pies se hincó, lloró, se puso triste al hablarle, al descubrirle la palabra, el aliento de la Reina del Cielo,

73. Que ojalá fuera creída la embajada, la voluntad de la Perfecta Virgen, de hacerle, de erigirle su casita sagrada, en donde había dicho, en donde la quería.

a) Al español le tocaba hablar y mandar y al indio callar y obedecer. Los sabios nahuas o *"tlamatinime"* intentaron otro esquema: el diálogo de igual a igual. Pero fracasaron, se les dijo que tenían todo por aprender...

La Virgen de Guadalupe va más allá de los *"tlamatinime"* e invierte el esquema: al indio le toca hablar y dar instrucciones, al obispo escuchar y obedecer.

A diferencia de los misioneros, para quienes el indio era alguien con quien había de empezar de cero en la enseñanza, la Virgen de Guadalupe se presenta como una "auténtica misionera", que comienza siempre con un sentimiento de profunda estima frente a lo que en el hombre había, y hace que su mensaje se entronque con las tradiciones indígenas.

b) Nuevamente hay dificultades. Otra vez se pone una barrera entre Juan Diego y el obispo. Piensa el indio que es necesario volver a humillarse, se arrodilla. El párrafo es un resumen. Parece que algo grave ha de haber sucedido. Juan Diego lloró y se puso triste.

c) El pobre espera contra toda esperanza: "ojalá que creyera su mensaje": *aco canen,* "querrá Dios", se usa cuando uno duda si sucederá lo que desea o espera. El diálogo es difícil.

74. Y el gobernante obispo muchísimas cosas le preguntó, le investigó, para poder cerciorarse, dónde la había visto, cómo era Ella, todo absolutamente se lo contó al señor obispo.

75. Y aunque todo absolutamente se lo declaró, y en cada cosa vio, admiró que aparecía con toda claridad que Ella era la Perfecta Virgen, la Amable, Maravillosa Madre de Nuestro Salvador, Nuestro Señor Jesucristo.

Sufre un interrogatorio. Juan Diego le dice todo. Hace una

descripción de la Virgen. Le da todas sus impresiones. Y avanza en la reflexión y posesión del evento. En esta circunstancia tan difícil, el indio hace teología. Sintetiza el hecho, lo confronta con su fe, lo centra en el punto clave del cristianismo, y eleva su experiencia.

En esta situación angustiosa, Juan Diego es fiel a su compromiso. Enriquece el contenido de su misión ligándola con Cristo.

La Virgen siempre amable se completa con *in Totemaquixticatzin Tolecuiyo Jesucristo: De Aquél que con su mano nos rescata, nuestro Señor Jesucristo.* El guadalupanismo, antes de cuajar como fe del pueblo, está centrado en Cristo; el mismo pobre se propuso centrarlo en Cristo.

76. Sin embargo, no luego se realizó.

77. Dijo que no sólo por su palabra su petición se haría, se realizaría lo que él pedía:

78: que era muy necesaria alguna otra señal para poder ser creído cómo a él lo enviaba la Reina del Cielo en persona.

Y en este caso el obispo tiene naturalmente la última palabra. Y tiene todo el derecho de exigir una señal de credibilidad. Y era muy necesaria la señal. Será un hecho perfectamente comprobado, como se ve en varios números: 79,94,101,123,137,160, etc., etc. Allí se repiten constantemente las palabras: *tlanezcayótl, tlaneltiliztli, machiyotl:* prueba, comprobación, señal...

79. Tan pronto como lo oyó Juan Diego, le dijo al obispo:

80. "Señor gobernante, considera cuál será la señal que pides, porque luego iré a pedírsela a la Reina del Cielo que me envió".

81. Y habiendo visto el obispo que ratificaba, que en nada vacilaba ni dudaba, luego lo despacha.

a) Juan Diego, una de las más queridas y populares figuras en el catolicismo mexicano en nuestros días, representa a todos los indígenas, nuestros hermanos. Es de notar que éste y el obispo tienen funciones distintas: Juan Diego tiene que poner trabajo, fatiga, mediación, mientras que el obispo sólo ayuda. El *Evangelio* que fue para los pobres más especialmente, sigue siendo para los pobres; y la misma gracia de elección en el año 1531 continúa siéndolo hasta el presente.

b) "Señor gobernante", le habla al obispo usando títulos como los que les daban a los reyes en los discursos oficiales.

"Considera cuál ha de ser la señal que pides". Se ve que Juan Diego está cada vez más seguro. Le toma la palabra al obispo y lo presiona. Parece ser que la conversación se volvió a retomar y que Juan Diego se sostuvo. Está apoyando y favoreciendo la voluntad de la Virgen.

"Iré a pedirla a la Señora del cielo". Ahora Juan Diego se respalda en la Virgen. Piensa que ella está involucrada en el problema de la señal. "Lo despachó". Tampoco esta segunda entrevista logró convencer al obispo.

82. Y en cuanto se viene, luego les manda algunos de los de su casa en los que tenía absoluta confianza, que lo vinieran siguiendo, que bien lo observaran a dónde iba, a quién veía, con quién hablaba.

83. Y así se hizo. Y Juan Diego luego vino derecho. Siguió la calzada.

a) La expresión "unas personas de su casa", se usaba para hablar de los más allegados, incluso de miembros de la misma familia. En éstos sí puede confiar, los conoce, están allí.

Les pide un trabajo de espionaje, de control de lugares, de acciones, de personas.

b) La Señora del Tepeyac, al hablar al indio Juan Diego en su propio lenguaje, le daba a entender, y en él a toda su raza, que era preciso olvidar las tragedias del pasado y mirar el nuevo mundo que comenzaba a nacer con una alentadora y dinámica esperanza: en este nuevo mundo también tenía su lugar lo indígena, y su cultura debía enriquecer la cultura venida del otro lado del mar.

De este modo lo inducía a un esfuerzo de superación y a ser artífice de su propio destino.

84. Y los que lo seguían, donde sale la barranca cerca del Tepeyac, en el puente de madera, lo vinieron a perder. Y aunque por todas partes buscaron, ya por ninguna lo vieron.

85. Así se volvieron. No sólo porque con ello se fastidiaron grandemente, sino también porque les impidió su intento, los hizo enojar.

a) Juan Diego es perseguido mientras se encuentra dentro de los límites de la ciudad, allí está el poder de los conquistadores.

Pero más allá del puente, en el Tepeyac, el lugar es otro, es un sitio de vida. Al llegar ahí lo extravían de vista. Aunque lo buscan no lo encuentran. El Tepeyac se empieza a acreditar como lugar de liberación.

b) *Omoxixiuhtlatito,* gerundio de *xiuhtlatia, nino:* enfadarse. La reduplicación denota la intensidad del enfado.

86. Así le fueron a contar al señor obispo, le metieron en la cabeza que no le creyera, le dijeron cómo nomás le contaba mentiras, e inventaba lo que venía a decirle, o que sólo soñaba o imaginaba lo que le decía, lo que le pedía.

87. Y bien así lo determinaron que si otra vez venía, regresaba, allí lo agarrarían, y fuertemente lo castigarían, para que ya no volviera a decir mentiras ni alborotar a la gente.

Las gentes que daban seguridad al obispo se revelan muy pronto como unos pillos. Influyen en el prelado aumentando en él la incredulidad que saben tiene. Mienten sobre Juan Diego, achacándole precisamente lo que el obispo sospechaba de él. Y el colmo de todo es que por cuenta propia deciden castigarlo con dureza.

88. Entre tanto Juan Diego estaba con la Santísima Virgen, diciéndole la respuesta que traía del señor Obispo.

89. La que, oída por la Señora, le dijo:

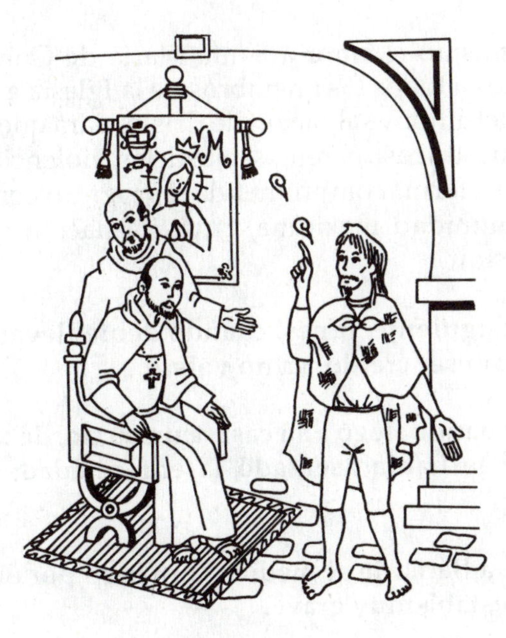

90. Bien está, hijito mío, volverás mañana para que lleves al obispo la señal que te ha pedido:

91. Con esto te creerá y acerca de esto ya no dudará ni de ti sospechará.

92. Y sábete, hijito mío, que yo te pagaré tu cuidado y el trabajo y cansancio que por mí has impendido;

93. Ea, vete ahora, que mañana aquí te guardo.

a) El Concilio Vaticano II, en la LG, enseña que los obispos han sucedido por institución divina a los apóstoles como pastores de la Iglesia, y quien a ellos escucha, a Cristo escucha (LG 20; Lc 70, 16).

Es hondamente impresionante constatar cómo el mensaje guadalupano se sitúa en una perspectiva de Iglesia, en un clima verdaderamente eclesial.

b) La Virgen María, por su acogida, sus palabras, su encargo, sus promesas, permite a Juan Diego superar todo fatalismo y toda pasiva resignación, marginación, y realizar un esfuerzo de superación, aprovechar el presente y encaminarse con decisión hacia el futuro, en una nueva época positiva y alentadora y a comprometerse de manera activa y libre, en la construcción de una sociedad más justa.

c) Por eso mismo el amor a Santa María de Guadalupe debe comprometernos a todos los miembros de la Iglesia a proclamar la Buena Nueva del amor y salvación de Cristo, para que viviendo las exigencias de nuestra fe superemos injusticias, violencia, corrupción y promovamos en forma comprometida el progreso y cristianización de nuestra comunidad mexicana, cuya formación vino María a propiciar y presidir.

94. Y al día siguiente, lunes, cuando debía llevar Juan Diego alguna señal para ser creído, ya no volvió.

95. Porque cuando llegó a su casa, a un su tío, de nombre Juan Bernardino, se le había asentado la enfermedad, estaba muy grave.

96. Aún fue a llamarle al médico, aún hizo por él, pero ya no era tiempo, ya estaba muy grave.

97. Y cuando anocheció, le rogó su tío que cuando aún fuere de madrugada, y oscuro, saliera hacia acá, viniera a llamar a Tlatilolco algún Sacerdote para que fuera a confesarlo y a prepararlo.

98. Porque estaba seguro de que ya era el tiempo, el lugar de morir, porque ya no se levantaría, ya no se curaría.

a) El tío juega un rol social de capital importancia, se refiere al hermano de la mamá; en el mundo náhuatl el tío heredaba a sus sobrinos y no a sus hijos; el verdadero antepasado no era el padre, sino el tío. La línea de parentesco entre los mexicanos la da el tío. En los textos de Sahagún vemos que tío es la máxima expresión de respeto y consideración que se puede tener hacia una persona honorable. El tío es el centro originario del barrio, la raíz del pueblo. Por lo tanto es el núcleo y el centro de la evangelización guadalupana. En estos momentos de angustia, una peste ataca al pueblo, y amenaza su destrucción total. Juan Diego se responsabiliza y busca el remedio. La peste avanza. Todo parece perdido. Literalmente dice la enfermedad *(in cocoliztli)*, pero la enfermedad de esos tiempos era la viruela, que había sido importada por los españoles y para la cual no se tenía remedio. Si el tío representa al pueblo, es el pueblo que está a punto de morir, porque la lectura simbólica mira más allá de la historia y nos la interpreta. Juan Diego ya no regresó con la Virgen, era explicable.

b) Este es el motor histórico que congrega a millones de gentes en torno a Guadalupe. La preocupación por la vida, el dedicarse a la salvación histórica del desvalido.

c) "Cuando aún fuera de noche". Es una insinuación simbólica de que no está todo perdido.

99. Y el martes, siendo todavía mucho muy de noche, de allá vino a salir, de su casa, Juan Diego, a llamar el sacerdote a Tlatilolco.

100. Y cuando ya acertó a llegar al lado del cerrillo terminación de la sierra, al pie, donde sale el camino, de la parte en que el sol se mete, en donde antes él saliera, dijo:

101. "Si me voy derecho por el camino, no vaya a ser que me vea esta Señora y, seguro, como antes me detendrá para que le lleve la señal al gobernante eclesiástico como me lo mandó;

102. Que primero nos deje nuestra tribulación; que antes yo llame de prisa al sacerdote religioso, mi tío no hace más que aguardarlo".

a) Juan Diego inicia nuevamente el plan de salvación para el pueblo. Esta vez por su cuenta sabe que la situación es de muerte. Piensa que lo religioso puede retrasarlo, le da más importancia a su compromiso con la gente. Se decide por una acción que traiga la vida.

b) "Donde el sol se mete", indica la situación de muerte que se está viviendo. La esperanza que ahora se inicia es sobre una situación de oscuridad y muerte.

c) Juan Diego dialoga en su interior: ¿qué hacer? Se acuerda de la señal; pero, ¿y su tío? Y encuentra la solución espiritual verdaderamente inspirada de su fe y de su deber: la preocupación definitiva es su pueblo, su tío, porque está padeciendo.

103. Enseguida le dio la vuelta al cerro, subió por enmedio y de ahí, atravesando hacia la parte oriental, fue a salir, para rápido ir a llegar a México, para que no lo detuviera la Reina del Cielo.

En este párrafo tenemos una acción ritual ceremonial. Aparentemente es una acción complicada, pero sencilla en su lógica simbólica.

Le da la vuelta al cerro para cambiar de dirección: por el poniente simbólicamente iba a la muerte, yendo hacia el oriente su acción significa un caminar hacia la vida.

104. Piensa que por donde dio la vuelta no lo podrá ver la que perfectamente a todas partes está mirando.

105. La vio cómo vino a bajar de sobre el cerro, y que de allí lo había estado mirando, de donde antes lo veía.

Se nota y se da un nuevo título a la Virgen: "La que perfectamente a todas partes está mirando": como estuvo atenta y vio en las Bodas de Caná que faltaba el vino...

106. Le vino a salir al encuentro a un lado del cerro, le vino a atajar los pasos; le dijo:

107. ¿Qué pasa, el más pequeño de mis hijos? ¿A dónde vas, a dónde te diriges?

a) Esta vez, en el momento más difícil de todos, cuando parecía que todo acababa, se acentúa más la acción de la Señora del Cielo: Ella baja desde donde estaba, casi tropieza con él en su afán de encontrarlo. Este es el encuentro definitivo, el más histórico.

b) El hallazgo de María con cada uno de nosotros debe impulsarnos a una entrega generosa a Cristo, a la aceptación total de su mensaje y a ser testigos auténticos de su amor, sabiendo reconocer en el hermano, especialmente el más pobre, el oprimido o el marginado, el verdadero rostro de Cristo.

c) La Virgen se preocupa por nosotros, quiere entrar totalmente en nuestra vida, preocupaciones, anhelos, deseos, caminos y proyectos.

108. Y él tal vez un poco se apenó, ¿o quizás se avergonzó? ¿O tal vez de ello se espantó, se puso temeroso?

Reacción inesperada e insólita. La Virgen le sale al encuentro, al que iba huyendo de ella...

109. En su presencia se postró, la saludó, le dijo:

110. "Mi jovencita, Hija mía la más pequeña, Niña mía, ojalá que estés contenta: ¿cómo amaneciste? ¿Acaso sientes bien tu amado cuerpecito, Señora mía, Niña mía?

La saluda, cosa que no había hecho nunca antes. Le desea a la Virgen lo que a él le hace falta: "ojalá estés contenta"... que se sienta bien.

111. Con pena angustiaré tu rostro, tu corazón: te hago saber, Muchachita mía, que está muy grave un servidor tuyo, tío mío.

Juan Diego sabe que el problema de su tío, de su pueblo, va a afligir a la Virgen. Y lógicamente sabe que su tío es su siervo, todos somos siervos de María.

112. Una gran enfermedad se le ha asentado, seguro que pronto va a morir de ella.

113. Y ahora iré de prisa a tu casita de México, a llamar alguno de los amados de Nuestro Señor, de nuestros sacerdotes, para que vaya a confesarlo y a prepararlo.

Notemos las expresiones hermosas y profundas que tiene con respecto a los sacerdotes... aunque su experiencia con el obispo en algo contrasta con ello, el indígena es respetuoso, suave y, sobre todo, con gran fe.

114. Porque en realidad para ello nacimos, los que vinimos a esperar el trabajo de nuestra muerte.

Juan Diego, el día anterior, hizo muchas cosas para que su tío no muriera. Pero esta frase la encontramos en varios textos nahuas: "nacer para morir".

Los antiguos afirmaban que sin muerte no hay vida; estamos convencidos de que la muerte, sobre todo en la guerra, era el mejor camino para vivir siempre en el cielo del Sol. Por eso, mientras vivían, aguardaban la muerte, esperaban con ansia la lucha que por la muerte daría vida al pueblo. Morir para vivir.

115. Mas, si voy a llevarlo a efecto, luego aquí otra vez volveré para ir a llevar tu aliento, tu palabra, Señora, Jovencita mía.

Para Juan Diego sigue siendo claro que estar absorbido por servir a su tío no implica de ninguna manera abandonar el proyecto guadalupano. Regresará para llevar su aliento: *in miyotzin,* de *ihiotl:* "aliento", metafóricamente: "palabra".

116. Te ruego me perdones, tenme todavía un poco de paciencia, porque con ello no te engaño, Hija mía la menor, Niña mía, mañana sin falta vendré a toda prisa".

Aunque ahora está ocupado, reconoce que el asunto del mensaje requiere "de toda prisa".

117. En cuanto oyó las razones de Juan Diego, le respondió la Piadosa Perfecta Virgen.

María nos da una gran enseñanza: Juan Diego le falló, pero ella le sale al encuentro, le pregunta, lo escucha, y le da una respuesta comprometedora. ¿Cómo actuamos cuando a nosotros alguien nos falla? ¿Le escuchamos? ¿O rápido reclamamos, sin escuchar el por qué del problema del otro?

118. Escucha, ponlo en tu corazón, hijo mío el menor, que no es nada lo que te espantó, lo que te afligió; que no se perturbe tu rostro, tu corazón; no temas esta enfermedad ni ninguna otra enfermedad, ni cosa punzante, aflictiva.

a) La Virgen habla de todo ya en pasado, el presente es otro: está ella. La Madre de Dios hace más concreto su plan. Ha llegado el momento de realizar su intención liberadora. Además el propósito de la Virgen es total: "es nada lo que te espantó".

b) "No temas esta enfermedad, ni ninguna otra enfermedad", o sea que la promesa guadalupana se cumple en el presente y en el futuro, es una promesa histórica y trascendente, vale para hoy y para el mañana. (Y se refiere no sólo a males físicos (viruela), sino también a situaciones humanas más insondables (angustias).

119. ¿No estoy aquí yo, que soy tu madre? ¿No estás bajo mi sombra y resguardo? ¿No soy yo la fuente de tu alegría? ¿No estás en el hueco de mi manto, en el cruce de mis brazos? ¿Tienes necesidad de alguna otra cosa?

a) Lo que acabamos de escuchar es un manantial de expresiones de inmenso amor maternal: estamos en los brazos de la Virgen-Madre, a la manera de los hijos de las indias, que son llevados por éstas en los pliegues de sus rebozos o cargados en sus espaldas.

b) ¿No estoy aquí, que soy tu Madre?" La Virgen se había presentado como la Madre de Dios, ahora se define en Juan Diego como Madre de los mexicanos.

La maternidad de María no conoce límites de razas de tiempo o de lugar, sino que se abre a horizontes universales.

Y este universalismo nos lleva a descubrir otro universalismo, básico, esencial para nuestra conducta y relaciones sociales: todos somos hermanos.

c) La sombra del árbol del *pochote* era el símbolo de la autoridad; y la Virgen da la sombra que refresca y que tiene autoridad; y piensa ahora actuar conforme a esa autoridad.

Igualmente el hueco del manto: *cuexantli,* era símbolo del servicio al pueblo, como la cualidad más valiosa de quien tenía autoridad...

d) Ha comenzado su misión la Virgen Evangelizadora de estas tierras. Y es Juan Diego el primer evangelizado: lo consuela, le entrega la alegría (Cristo) de quien ella es la fuente, lo constituye su mensajero... La frase *Cuix amo Nehuatl in nimopaccayeliz?* Es casi intraducible por la profundidad de su contenido. ¿No soy yo la naturaleza de tu salud, el ser de tu bienestar, el principio vital de tu paz...?

Sólo es comprensible en los labios de la que es Madre de Dios y Madre nuestra. Al darnos a Cristo nos da al que es "Fuente de Vida y de santidad". Casi un siglo después, todavía se decía en el habla popular: *Dios es noyelinelhuayotzin:* la raíz, la verdad, el fundamento de mi ser.

Bien corresponde lo que hace aquí María Santísima con los títulos que la Iglesia le dedica: Consuelo de los afligidos, Trono de la eterna Sabiduría, Causa de nuestra Alegría, etc.

e) *Nocuixango Nomamalhuazco. Cuixantli o cuexantli* es la cavidad delantera que se forma con una vestidura: falda, enagua, delantal, ayate, para cargar algo; de allí la idea y la imagen de gremio, regazo, protección, intimidad, cercanía, amparo. *Mamalhuaztli* es el receptáculo semejante pero formado hacia la espalda con el rebozo, manto, capa, o con el mismo ayate, dándole vuelta. Esta expresión de la Santísima Virgen corresponde a lo que había dicho Juan Diego: "Necesito ser conducido, llevado a cuestas".

Ahora ella le dice: "¿No te llevo en mis brazos? ¿No te llevo en mis espaldas?", como si dijera: ¿No dependes de mí completamente? Vemos ahora cuán tiernamente llevan las indias a sus hijos en las espaldas.

f) El *mamalhuaztli* también era un instrumento de palos cruzados que, al frotarse en el centro, producía el fuego; y la más antigua imagen de Dios era la de Xiotecuhtli (Señor del Fuego). A Juan Diego y a nosotros nos lleva la Virgen en el cruce de sus brazos, en donde ella llevaba a Dios.

Y, además, ese símbolo cruzado llegó a ser la representación del *Nahui Ollin,* del Quinto Sol, el mundo 4 movimiento. Juan Diego es el Quinto Hombre, es el fundador de la nueva humanidad.

g) Sabemos que el número cinco simboliza la superación total; pues bien la Virgen expresa su participación en la vida de Juan Diego con cinco frases, cada una más densa y más rica que la otra. Como el cinco resulta del cruce y encuentro de lo divino y humano, la superación que se va a lograr debe ser no únicamente acción de la Virgen, sino también de Juan Diego. El manejo del cinco como superación es tan claro que por eso la última pregunta es: *"¿Tienes necesidad de alguna otra cosa?"*

120. Que ninguna otra cosa te aflija, te perturbe: Que no te apriete con pena la enfermedad de tu tío, porque de ella no morirá por ahora, ten por cierto que ya está bueno".

121. (Y luego en aquel mismo momento sanó su tío, como después se supo).

Este es el primer milagro que hace la Virgen en favor de una persona y simbólicamente también en favor del pueblo. De aquí en adelante ya todo será cumplimiento de lo dicho y hecho.

Y al tío también se le aparece la Virgen, y será la quinta vez que la Doncella del Tepeyac irrumpe en su pueblo.

122. Y Juan Diego, cuando oyó la amable palabra, el amable aliento de la Reina del Cielo, muchísimo con ello se consoló, bien con ella se apaciguó su corazón.

a) Reina del Cielo: El Concilio Vaticano II ha llamado a la Virgen María "Reina del Universo", exaltada en el cielo sobre todos los ángeles y santos" (LG 66, 69). En el *Nican Mopohua,* la Virgen María es nombrada Reina: *Cihuapilli* o Cihuapille once veces, y diecisiete veces le da el título de *Ilhuicac Cihuapilli: La Reina del Cielo*. Nosotros decimos y la proclamamos: "Reina de México, de América Latina y del Mundo".

b) El tío sana y el milagro alcanza a Juan Diego "que muchísimo se consoló". Es de notar su profunda fe.

123. Y le suplicó que inmediatamente lo mandara a ver al gobernante obispo, a llevarle algo de señal, de comprobación para que creyera.

Inmediatamente le pide a la Señora que le despache: "a llevarle una señal al obispo". Juan Diego es más misionero que nunca, está ansioso de su compromiso, está más seguro que nunca, le falta tiempo, se precipita.

124. Y la Reina Celestial luego le mandó que subiera a la cumbre del cerrillo, en donde antes la veía.

125. Le dijo: Sube, hijo mío el menor, a la cumbre del cerrillo, a donde me viste y te di órdenes:

La Virgen podría actuar allí mismo, en la vereda donde se encuentra ahora. Pero como el lugar que se quiere acreditar es el Tepeyac, lo que sigue debe ocurrir precisamente en la cima del Tepeyac. El lugar de la liberación y de la verdad es siempre el mismo. Y quien conoce las áreas ceremoniales prehispánicas ha notado que, dada la posición de los templos arriba de las plataformas que llamamos pirámides, no eran lugares públicos sino que estaban reservados a los sacerdotes; el pueblo permanecía en las plazas, desde donde presenciaba los ritos.

Y Juan Diego hace el rito que anteriormente ha hecho muchas voces: sube a la cumbre del cerrillo ceremonialmente "viendo hacia el oriente". Ahora, leyendo el texto simbólicamente, la Guadalupana le está ordenando a Juan Diego que actúe como un sacerdote indígena.

126. Allí verás que hay variadas flores; córtalas, reúnelas, ponlas todas juntas; luego baja aquí; tráelas aquí, a mi presencia.

a) Recordemos que la verdad en la tierra se expresaba con el difrasismo Flor y Canto: *In Xóchitl in Cuicatl*. El evento Guadalupano había comenzado en medio de cantos, y era sólo el inicio de la verdad que necesitaba contemplarse, que iba a cristalizar conforme fuera desarrollándose el evento Guadalupano. Ha llegado el momento de las flores, de la integración total.

b) "Córtalas, reúnelas, júntalas". Tres términos que significan intermediación, la solución entre el indio y el obispo.

c) **Corta:** observa, divide, saca el máximo provecho de todo: hacer eficaz la acción.

Reúnelas: atrae, reúne, organiza, planifica, ve más por la comunidad en todo.

Júntalas: se hará el milagro; juntos venceremos: comprende, analiza las partes, integra, lo que indica unión, se conocen y saben qué plan y proyecto realizar.

Baja: no te quedes en especulaciones, ideas, planes, realízalos en el medio más necesitado del pueblo, dialoga y confronta con la realidad.

d) Pero esto requiere la participación de la Virgen: "Tráelas a mi presencia". Así siempre debemos llevar a "su presencia" nuestros deseos, proyectos, vida, para que ella los haga realidad para gloria de Dios y salvación del mundo.

127. Y Juan Diego luego subió al cerrillo.

Juan Diego es la persona escogida por Dios para manifestar sus designios, pero es un instrumento libre y responsable y por lo tanto colabora activamente. La Virgen no le da las flores, éste tiene que buscarlas.

128. Y cuando llegó a la cumbre, mucho admiró cuántas había, florecidas, abiertas sus corolas, flores las más variadas, bellas y hermosas, cuando todavía no era su tiempo.

Lo raro del suceso es que hubieran rosas "antes del tiempo que se dan". Se trata de un hecho extraordinario.

129. Porque de veras que en aquella sazón arreciaba el hielo.

130. Estaban difundiendo un olor suavísimo; como perlas preciosas, como llenas de rocío nocturno.

Las flores no son artificiales, en cuya confección son expertos los indígenas... estaban fragantes como si la noche anterior hubiera sido primavera.

131. Luego comenzó a cortarlas, todas las juntó, las puso en el hueco de su tilma.

Juan Diego elabora la verdad: "las corta, las junta", él es quien primero las posee: las echó en el hueco de su tilma, las pone donde se guardaba lo más valioso.

132. Por cierto que en la cumbre del cerrito no era lugar en que se dieran ningunas flores, sólo abundaban los riscos, abrojos, espinas; nopales, mezquites.

133. Y si acaso algunas hierbecillas se solían dar. Entonces era el mes de diciembre, en que todo lo come, lo destruye el hielo.

Se quiere dejar bien claro otra vez que la verdad guadalupana (las flores) son algo fuera de lo común.

134. Y enseguida vino a bajar, vino a traerle a la Niña Celestial las diferentes flores que había ido a cortar.

Nuestro documento es optimista. Habla una y otra vez de las flores. Le da mucha importancia, como que se entretiene con las flores, de la misma manera que antes se había gozado del canto de los pájaros. Es que en el Tepeyac impera la verdad que entienden todos.

135. Y cuando las vio, con sus venerables manos las tomó;

136. Luego, otra vez se las vino a poner todas juntas en el hueco de su ayate, le dijo:

a) Esto es fidedignísimo, dicen muchos investigadores, como Mr. Taylor: "Aquí nos mostró su naturaleza humana, e hizo lo que toda dama habría hecho".

b) Ella toca las flores: se hace presente en ellas, pasa a ellas, les da trascendencia. En el mundo simbólico es necesario el contacto inmediato, la similitud, la presencia. Los símbolos, más que palabras, son cosas que se sobreponen, que se tienen, que se poseen. Por eso la Virgen toma las flores con sus venerables manos para que todo el evento se convierta en su Imagen sobre la tilma.

137. Mi hijito menor, estas diversas flores son la prueba, la señal que llevarás al obispo.

138. De mi parte le dirás que vea en ellas mi deseo, y que realice mi querer, mi voluntad.

a) La virgen se encarna en la mentalidad del indígena: si para el nahua las flores son la verdad, también para ella. Esas flores representan lo que la Virgen quiere que se realice.

b) Encontramos nuevamente la estrecha correlación que en *Nican Mopohua* se tiene entre el decir y el hacer, entre las palabras y el hecho. Hay que hacer la voluntad de la Virgen.

139. Y mucho te mando con rigor que nada más a solas, en la presencia del obispo, extiendas tu ayate, y le enseñes lo que llevas.

Queda muy claro por las últimas palabras que el signo lo envía la Virgen precisamente para el obispo y sólo para él.

140. Y tú, tú que eres mi mensajero... en ti absolutamente se deposita la confianza.

De nuevo la Virgen fortalece a Juan Diego, lo reafirma como sujeto evangelizador. Es la ley del hecho guadalupano que el pobre evangelice. En el palacio del obispo ven en el indio un engañador, un mentiroso a quien hay que castigar. En el Tepeyac la Señora pone en "él toda la confianza".

141. Y le contarás todo puntualmente, le dirás que te mandé que subieras a la cumbre del cerrito a cortar flores, y cada cosa que viste y admiraste,

a) La Guadalupana habla y actúa como si fuera una india que sólo tiene y entiende la lógica náhuatl. Si la flor y el canto significan y funcionan para los indios como la verdad, las flores de la tilma tienen que funcionar como la verdad para el obispo.

b) En la teología contemporánea el tema del "ser testigo" y del "dar testimonio" ha cobrado relieve. Es una noción cien por ciento evangélica. El *Evangelio* de san Juan es el Evangelio del *Testimonio;* a cada paso se encuentra ese vocablo (en el NT dar testimonio aparece 76 veces, de las cuales 47 veces se encuentran en los escritos de S. Juan. Testimonio existe 37 veces, de las cuales 30 también en los escritos de S. Juan, y para ser testigos se requieren dos condiciones: "haber visto" y "haber oído", lo cual equivale a "haber tenido una fuerte experiencia personal de algo").

142. Para poder convencer al gobernante sacerdote, y levante mi templo que le he pedido.

143. Y en cuanto le dio su mandato la Celestial Reina, vino a tomar la calzada, que viene derecho a México, ya viene contento.

144. Ya así viene sosegado su corazón, porque vendrá a salir bien, lo llevará perfectamente.

a) Ahora Juan Diego es un sujeto decidido, él conoce los resultados históricos de su acción, es fuerte, va a cambiar el corazón del obispo, para que éste actúe dentro del proyecto guadalupano.

b) "Tomó la calzada"... ¡Cuántas veces ha tenido que hacer esto Juan Diego!

Pero hoy va de prisa y contento. Las flores lo han convencido, va seguro su corazón; ha entendido y experimentado mejor su misión. La verdad le da la seguridad de salir bien.

145. Mucho viene cuidando lo que está en el hueco de la vestidura, no vaya ser que algo tire;

146. Viene disfrutando del aroma de las diversas preciosas flores.

La verdad del Tepeyac se ha convertido en un tesoro que se guarda en el "hueco de la manta". Esa verdad se ha de conservar y pasar íntegra: "no fuera que algo se le cayera". El evento liberador guadalupano es una verdad y un hecho que produce gozo.

147. Cuando vino a llegar al palacio del obispo, lo fueron a encontrar el portero y los demás servidores del sacerdote gobernante.

148. Y les suplicó que le dijeran cómo deseaba verlo, pero ninguno quiso; fingían que no le entendían, o tal vez porque aun estaba muy oscuro;

a) Estos son otros criados distintos de los que ya conocíamos antes. Los nuevos criados se comportan igual que los otros, reproducen la dominación y desprecio que ya ha sufrido Juan Diego. Él se dedica a rogarles pero sin obtener respuesta.

b) El tiempo, junto con el espacio, según la filosofía náhuatl, forman parte del ser de las cosas; hacer que Juan Diego espere es retardar su ser medianero.

c) "Porque aún estaba muy oscuro". Si se compara lo que se dice literalmente en este número y lo que se dice en el 99 y en el 168 se conoce que salió Juan Diego de su casa poco después de medianoche, y que la aparición de la Santísima Virgen en este día fue en plenas horas de oscuridad. Aquí se puede añadir también el significado simbólico de dicha expresión: "aún estaba muy oscuro" es que aún era nula su fama y nulo el nombre de bienestar... (Cod Ch p. 4 n. 2).

149. O tal vez porque ya lo conocían que nomás los molestaba, los importunaba,

150. Y ya les habían contado sus compañeros, los que lo fueron a perder de vista cuando lo siguieron el día anterior.

151. Durante muchísimo rato estuvo esperando la razón.

152. Y cuando vieron todavía se encontraba allí, de pie, cabizbajo, sin hacer nada, por si era llamado, y como que algo traía, lo llevaba en el hueco de su tilma; luego, pues, se le acercaron para ver qué traía y desengañarse.

a) Otra vez la humillación alcanza la persona de Juan Diego. "Cabizbajo": Antes de la conquista sólo los dominados y prisioneros aparecen cabizbajos en los frescos y bajorrelieves.

¿Qué pasó con el indio que hace unas horas estaba ansioso de realizar su misión y echó a correr hacia México para cumplirla? En el Tepeyac es ágil, diligente, dispuesto. ¿Por qué en México actúa de otra manera? Es el trato que se da a las personas el que cambia su modo de actuar.

b) A los criados no les interesa la persona, les interesa sólo lo que la persona trae.

c) Esperó más de hora y media, según dijo uno de los testigos indígenas en las *Informaciones de 1666*.

153. Y cuando vio Juan Diego que de ningún modo podía ocultarles lo que llevaba y que por eso lo molestarían, lo empujarían o tal vez lo aporrearían, un poquito les vino a mostrar que eran flores.

154. Y cuando vieron que todas eran finas, variadas flores y que no era tiempo entonces de que se dieran, las admiraron mucho, lo frescas que estaban, lo abiertas que tenían sus corolas, lo bien que olían, lo bien que parecían.

a) Aquí los criados llegaron a una situación realmente terrible. Por un lado la verdad no se puede ocultar, de ningún modo les puede esconder lo que traía, por otro lado la verdad irrita y desencadena violencia por parte de quien la teme; por eso lo molestaban, lo empujaban o tal vez le pegarían, en fin, lo maltrataban. Para ellos el pobre no tiene personalidad, propiedad, derecho, nada... ¿Por qué Juan Diego muestra las flores a otros, cuando tenía orden rigurosa de que sólo las descubriera y mostrara al obispo?

Lo hace con responsabilidad, con iniciativa propia, porque el indígena participa lo que tiene. Y principalmente por las exigencias del momento, y él tiene que sacar adelante su misión.

b) El gesto de Juan Diego surtió efecto: "se admiraron mucho". En efecto, la verdad Guadalupana es siempre fresca.

155. Y quisieron coger y sacar unas cuantas.

156. Tres veces sucedió que se atrevieron a cogerlas, pero de ningún modo pudieron hacerlo;

A los indígenas les habían quitado su tierra, sus bienes, su libertad, su forma de gobierno, sus razones de ser y actuar. Y ahora, para colmo, les quieren quitar la verdad guadalupana; pero eso sí ya no se pudo, ni se podrá jamás, nunca, con el favor de Dios.

157. Porque cuando hacían el intento ya no podían ver las flores, sino que, a modo de pintadas o bordadas, o cosidas en la tilma las veían.

En la cultura náhuatl la indumentaria expresa el ser de la persona, y como las flores parecían cosidas en la manta, quiere decir que la verdad guadalupana ya forma parte de nuestro ser, ya no es posible que nos despojen de ella. Nuestro texto tiene un lenguaje simbólico, la verdad, la intención de cambiar al mundo, de liberar al pobre en sus angustias forma parte ya de la persona de Juan Diego, por eso las flores no se pueden desprender de él.

158. Inmediatamente fueron a decirle al gobernante obispo lo que habían visto.

159. Cómo deseaba verlo el indito que otras veces había venido, y que hacía muchísimo rato que estaba allí aguardando el permiso, porque quería verlo.

La arriesgada acción de Juan Diego funcionó. Los criados aceptan ya otra dimensión en Juan Diego y en sus flores. Incluso confiesan que le han hecho esperar mucho.

160. Y el gobernante obispo, en cuanto lo oyó, cayó en la cuenta de que aquella era la prueba para convencerlo, para poner en obra lo que solicitaba el hombrecito.

161. En seguida dio orden de que pasara a verlo.

a) El prelado, que siempre se había mostrado reservado, receloso, desconfiado del indio, ahora muestra disponibilidad y aceptación. Ya cayó en la cuenta que trae "la prueba para convencerlo".

162. Y habiendo entrado, en su presencia se postró, como ya antes lo había hecho.

163. Y de nuevo le contó lo que había visto, admirado, y su mensaje.

164. Le dijo: Señor mío, gobernante, ya hice, ya llevé a cabo según me mandaste.

a) Juan Diego tiene la experiencia de que ante estas personas tiene que humillarse.

b) Repite toda su historia; es consciente del tiempo, de ese ingrediente de las cosas, que al repetirse y reafirmarse acaban por tener fuerza propia. Lo que le interesa al indio es su mensaje.

165. Así, fui a decirle a la Señora mi Ama, la Niña Celestial; Santa María, la Amada Madre de Dios, que pedías una prueba para poder creerme, para que le hicieras su casita sagrada, en donde te la pedía que la levantaras;

166. Y también le dije que te había dado mi palabra de venir a traerte alguna señal, alguna prueba de su voluntad, como me lo encargaste.

a) Juan Diego interpretó estas palabras como dirigidas directamente a él mismo, por eso en el momento crucial, no comenzó hablando de la señal, fue hasta muy posteriormente que Juan Diego menciona la señal como un problema suyo, que la Virgen asumió.

b) En estos momentos Juan Diego aprovecha para profundizar su teología y convencer al prelado, no sólo de que haga el templo que pide la Virgen, sino que acepte el mensaje Guadalupano y crea en el indio. Insiste también que sea en el lugar "donde Ella pide que lo levantes".

167. Y escuchó bien tu aliento, tu palabra, y recibió con agrado tu petición de la señal, de la prueba, para que se haga, se verifique su amada voluntad.

168. Y ahora, cuando era todavía de noche, me mandó para que otra vez viniera a verte;

169. Y le pedí la prueba para ser creído, según había dicho que me la daría, e inmediatamente lo cumplió.

Parece que Juan Diego se está entreteniendo mucho con preámbulos; pero lo que quiere es que el prelado reconozca que el indio es digno, que merece respeto, que hay que creer en él, que él personalmente cumple: "le dije que yo te había dado mi palabra". Es como si Juan Diego quisiera arrancarle al obispo las palabras que había oído a la Virgen: *"eres digno de confianza"*... Pero ante todo, lo que el pobre quiere es cumplirle a la Señora del proyecto guadalupano: "que se haga y se realice su voluntad".

170. Y me mandó a la cumbre del cerrito en donde antes yo la había visto; para que allí cortara diversas rosas de Castilla.

171. Y cuando las fui a cortar, se las fui a llevar allá abajo;

172. Y con sus santas manos las tomó.

173. De nuevo en el hueco de mi ayate las vino a colocar,

174. Para que te las viniera a traer, para que a ti personalmente te las diera.

a) *Caxtillanxóchitl:* "flores de Castilla", no necesariamente quiere decir el origen, sino que es ponderación de la calidad, prueba de ello es que los testigos españoles de las *Infomaciones de 1666* dijeron que eran de "Alejandría".

b) El introducir la santísima Virgen sus manos, tomar las flores y arreglarlas en el ayate, es un signo de gran acercamiento en lo físico y en lo espiritual.

175. Aunque bien sabía yo que no es lugar donde se den flores la cumbre del cerrito, porque sólo hay abundancia de riscos, abrojos, huizaches, nopales, mezquites, no por ello dudé, no por ello vacilé.

"No por ello dudé"... la fe, las disposiciones interiores de los favorecidos por Dios siempre han contado para obtener la abundancia de los frutos. A lo largo de la historia resuena la voz de Cristo en el Evangelio: "Tu fe te ha salvado" (Mt 9, 22; 15, 28; Mc 10, 52; Mt 14, 31; 8, 26).

176. Cuando fui a llegar a la cumbre del cerrito miré que ya era el paraíso.

177. Allí estaban ya perfectas todas las diversas flores preciosas, de lo más fino que hay, llenas de rocío, esplendorosas, de modo que luego las fui a cortar.

178. Y me dijo que de su parte te las diera, y que ya así yo probaría, que vieras la señal que le pedías para realizar su amada voluntad.

Se da una explicación detallada, una especie de resumen de lo que sucedió esa mañana en el Tepeyac, que es el lugar de la verdad, de la tierra florida: *Xochitlalpan.*

179. Y para que aparezca que es verdad mi palabra, mi mensaje,

180. Aquí las tienes; hazme favor de recibirlas.

181. Y luego extendió su blanca tilma, en cuyo hueco había colocado las flores.

182. Y así como cayeron al suelo todas las variadas flores preciosas,

El misionero guadalupano insiste. Si se ha de creer en la voluntad de la Virgen, se tiene que creer en la palabra y el mensaje del pobre.

Sólo después de esto, y después de repetir que lo principal es el cumplimiento de la voluntad de la Madre de Dios, entrega la prueba de las rosas: "hazme favor de recibirlas".

183. Luego allí se convirtió en señal, se apareció de repente la Amada Imagen de la Perfecta Virgen Santa María, Madre de Dios, en la forma y figura en que ahora está.

Huallateomattia: Con criterios sumamente exigentes tuvieron que juzgar nuestros antepasados indígenas si esta pintura era cosa de Dios.

Para ellos, Dios, al crear, era un pintor: metía las cosas en estos matices y colores de la realidad concreta:

Milec on nemi	En tus entrañas vive,
Mitec onya tlacuiloa, Tlayocoya	En tu interior escribe, crea,
in Ipalnemoani	Aquél por quien se vive.
Xochitica, oo	Por medio de las flores
Tontlatlacuiloa	pintas todas las cosas,
in Ipalnemoani	Oh Dador de la vida...
Cuicatica oo	Por medio de los cantos
tocontlapalaqui	metes en los colores
in nenemiz Tlalticpac	a cuanta cosa vive aquí en la tierra.
Inmotlacuilolpan	En el haz de tu pintura,
Ye nican tlalticpac	sólo estamos viviendo
	(Sólo tú estás viviendo).
Zan Tiyanemi	Ello es aquí en la tierra.

184. En donde ahora es conservada en su amada casita, en su sagrada casita en el Tepeyac, que se llama Guadalupe.

Casita o ermita que fue hecha de inmediato y con mucho amor, como todos los cientos de templos que existen en la República Mexicana y en el mundo entero.

185. Y en cuanto lo vio el obispo gobernante, y todos los que allí estaban, se arrodillaron, mucho la admiraron.

186. Se pusieron de pie para verla, se entristecieron, se afligieron, suspenso el corazón, el pensamiento...

187. Y el obispo gobernante, con llanto, con tristeza, le rogó, le pidió perdón por no, luego realizado su voluntad, su venerable aliento, su venerable palabra.

a) Estamos ante la presencia de una admirable superación de situaciones. Todos asumen la misma actitud que antes había tenido Juan Diego: se arrodillaron, se admiraron; se identifican con él, ante la Guadalupana todos somos pobres; de una manera real o solidaria, todos hemos de luchar por la superación dignificación y liberación de los pobres e indígenas.

b) Los recién convertidos, como Juan Diego, también lloran y se entristecen: ante la Virgen la identificación con el pobre es básica.

188. Y cuando se puso de pie, desató del cuello de donde estaba atada, la vestidura, la tilma de Juan Diego

189. En la que se apareció, en donde se convirtió en señal la Reina Celestial.

190. Y luego la llevó; allá fue a colocar a su oratorio.

191. Y todavía allí pasó un día Juan Diego en la casa del obispo, aún lo detuvo.

192. Y al día siguiente le dijo: Anda, vamos a que muestres dónde es la voluntad de la Reina del Cielo que le erijan su templo.

Ahora el prelado hospeda en su casa a Juan Diego; esto es ya obrar como la Virgen quiere e inmediatamente pasa a cumplir el otro aspecto que la Virgen quiere: su templo.

193. De inmediato se convidó gente para hacerlo, levantarlo.

194. Y Juan Diego, en cuanto mostró en dónde había mandado la Señora del Cielo que se erigiera su casita sagrada, luego pidió permiso:

195. Quería ir a su casa para ir a ver a su tío Juan Bernardino, que estaba muy grave cuando lo dejó para ir a llamar a un sacerdote a Tlatilolco para que lo confesara y lo dispusiera, de quien le había dicho la Reina del Cielo que ya había sanado.

196. Pero no lo dejaron ir solo, sino que lo acompañaron a su casa.

Juan Diego no espera más. El verdadero sentido del templo se encuentra en la curación del pobre. Todo esto es muy importante: es necesario que haya testigos: "lo acompañaron a su casa".

197. Y al llegar vieron a su tío que ya estaba sano, absolutamente nada le dolía.

La comprobación es sencilla y clara: la curación ha sido total.

198. Y él, por su parte, mucho admiró la forma en que su sobrino era acompañado y muy honrado;

199. Le preguntó a su sobrino por qué así sucedía, el que mucho lo honraran;

a) Aunque los acompañantes de Juan Diego quieren autenticar el alivio del tío, es claro que además están destacando la personalidad y mediación de Juan Diego: que de oprimido pasa a ser respetado; de ser el hombrecillo aquél pasa a ser persona. La dignidad que la Virgen le había regresado en el Tepeyac, es ahora un logro social.

b) Simbólicamente el pueblo (tío) preguntó qué sucedía, que lo honraban tanto.

200. Y él le dijo cómo, cuando lo dejó para ir a llamarle un sacerdote para que lo confesara, lo dispusiera, allá en el Tepeyac se le apareció la Señora del Cielo;

201. Y lo mandó a México a ver al gobernante obispo, para que allí le hiciera una casa en el Tepeyac.

202. Y le dijo que no se afligiera, que ya su tío estaba contento, y con ello mucho se consoló.

a) La fe se va reafirmando en torno a hechos y experiencias. Juan Diego dice lo que se acuerda.

b) Habla de alegría y consolación de la esperanza en la fe. Él no había visto aún la salud de su tío, pero creía en ella, y esto le daba alegría.

203. Le dijo su tío que era cierto, que en aquel preciso momento lo sanó,

204. Y la vio exactamente en la misma forma en que se le había aparecido a su sobrino,

205. Y le dijo cómo a él también lo había enviado a México a ver al obispo;

206. Y que cuando fuera a verlo, que todo absolutamente le descubriera, le platicara lo que había visto,

207. Y la manera maravillosa en que lo había sanado,

La fe no es un sentimiento, es una experiencia histórica. El tío sabe ciertamente que ha sido curado.

Relaciona su sanación con los sucesos del Tepeyac. Y Juan Bernardino (como pueblo) irá a atestiguar ante el obispo.

208. Y que bien así la llamaría, bien así se nombraría: LA PERFECTA VIRGEN SANTA MARIA DE GUADALUPE, su amada Imagen.

El nombre fue manifestado no a Juan Diego, sino a su tío Juan Bernardino, de más edad y con escasos o nulos conocimientos de la lengua castellana.

Juan Bernardino trasmitió un nombre parecido a Guadalupe, pero ciertamente no Guadalupe, porque esta palabra es arábiga y tiene dos consonantes, la G y la D, que ni siquiera existen en la lengua mexicana.

Él habló de *Tequatlasopeuh,* que se pronuncia *Tequatlasupe* y que significa:

Te: quiere decir *Piedra*
Coa: significa *Serpiente*
Tla: artículo *la*
Xopeuh: significa *Aplastar*

Traducido quedaría así:

— *Vencedora del demonio,* o más bien:
— *La que ahuyenta a los que nos comen.*
— La que aplasta a la serpiente de piedra.

En Santa María Tequatlasupe encontramos realizada la profecía del Génesis 3,14-15: "Yahvé dijo a la serpiente... enemistad pondré entre ti y la mujer, y entre tu linaje y su linaje: Ella te pisará la cabeza mientras acechas tú su calcañar".

b) Pero el estudio del P. Mario Rojas, más actual y profundo, nos lleva a una más clara, convicente y hermosa realidad en su significado.

El nombre que se sugiere tiene que dar satisfacción a muchas exigencias, y en especial al carácter todo de la Narración, que es constructivo y amable; y no hay ni sombra de reproche a las antiguas "idolatrías", sino que siempre utiliza lo positivo y legítimo para expresar con ello el Mensaje. Se propone aquí el nombre *Cuauhtlacupeuh,* o lo que es igual *Tlecuauhtlapcupeuh:* los elementos de dicha palabra son *Tle-cuauh-tlapcupeuh,* cuyo significado es el siguiente:

1) **Tle-tl:** fuego. Elemento que recuerda el lugar donde Dios vive y actúa.

2) **Cuauh-tli:** águila. Símbolo del Sol y de la Divinidad.

3) **Tlapcup-tli:** del Oriente, de la región de la luz (que era también la región de la música).

4) El verbo**ehua;** en forma de pretérito:*euh;* dicha terminación se usa para indicar el sujeto que hace la acción —en nuestra lengua un participio activo— y que continúa haciéndola. Significa: levantar; proceder de; disponerse a volar; revelar, entonar un canto.

Para la significación de la palabra da lo mismo poner o quitar la primera sílaba TLE (fuego) pues es lo mismo decir: *Tlecuauhtli:* El águila de fuego, que simplemente:*Cuauh-tli:* El Aguila, por excelencia, es decir: el Sol, Dios.

El significado de dicho nombre en su forma más sencilla sería: *La que procede de la región de la luz como el Aguila de fuego.* Y dado que el verbo está tan preñado de contenido podría proponerse esta amplificación de acuerdo con la lengua y las implicaciones culturales:

La que viene volando, de la región de la luz (y de la música), y entonando un Canto, como el Águila de fuego.

La correspondencia —fonéticamente hablando— de la palabra castellana *Guadalupe,* significa, según los estudiosos de la lengua árabe: Río de cascajo negro; y según interpretaciones más recientes: Río de amor.

209. Y luego trajeron a Juan Bernardino a la presencia del gobernante obispo, lo trajeron a hablar con él, a dar testimonio.

a) Se nota en el texto la preocupación porque de veras la curación del tío quede atestiguada. El obispo es un testigo de calidad.

b) Después, el obispo, primer pastor de la Iglesia, realizó una obra gigante: "Misioneros, escuelas, colegios, imprentas; dotes y ayuda a huérfanos y pobres; asilos, hospitales para ancianos y enfermos; paz, justicia y caridad para todos. Se nota en esta síntesis la proyección Guadalupana.

210. Y junto con su sobrino Juan Diego, los hospedó en su casa el obispo unos cuantos días,

En los textos míticos los opositores desaparecen, se vencen (como fue el caso de los criados). Pero el obispo se queda, es un personaje definitivamente vinculado al evento guadalupano. La relación del obispo no será sólo con el mediador, Juan Diego, sino con el tío, *con el pueblo.*

211. En tanto que se levantó la casita sagrada de la Niña Reina allá en el Tepeyac, donde se hizo ver de Juan Diego.

212. Y el señor obispo trasladó a la iglesia mayor la amada Imagen de la Amada Niña Celestial.

213. La vino a sacar de su palacio, de su oratorio en donde estaba, para que todos la vieran, la admiraran, su amada Imagen.

a) "En tanto que se levantó la casita". Ahora la Virgen tiene cientos de templos, además de la Nueva Basílica; pero no quedará contenta si no se levanta un templo en el corazón de cada mexicano. Por tanto esta nueva iglesia a la Virgen Guadalupana, que soy yo, iglesia de la palabra y de la acción, de la transformación y el cambio, sólo responderá a la invitación de la Virgen: "Quiero que me hagan un templo"... si cada día respondo con mi compromiso cristiano de fe, amor y oración.

b) Estamos en el momento en que la Guadalupana se hace nacional, "para que todos la vieran", todos sin distinción...

214. Y absolutamente toda esta ciudad, sin faltar nadie, se estremeció cuando vino a ver, a admirar su preciosa Imagen.

Esto es de ayer y de hoy, por eso la Guadalupana significa tanto para nosotros:

1) Para los mexicanos la originalidad del acontecimiento Guadalupano se asocia a la entraña misma de la nacionalidad mexicana, cuya fusión no está solamente en su mestizaje racial sino en la integración del amor a la Virgen de Guadalupe.

2) Al entregarnos la Virgen su mensaje, nos hace tomar conciencia de ser colaboradores de una obra tan grande, que hace agigantar nuestra propia seguridad personal y la responsabilidad de la obra encomendada.

3) El desbordamiento del amor Guadalupano es todo un programa de confianza, seguridad y júbilo ante lo trascendente.

4) Las canciones, los bailes y danzas, las peregrinaciones, son torrentes de amor del pueblo que se hace incontenible y audaz cuando expresa su fe.

5) Querétaro, Toluca, Puebla, Morelia..., con sus peregrinaciones a pie; las colonias extranjeras, choferes, ciclistas, fábricas, asociaciones, campesinos, profesionistas, intelectuales, universitarios, jóve-

nes, niños etc. Todos ellos son marcha de un pueblo místico que lleva, y quiere manifestar, su predilección, amor, ternura, alegría y acción de gracias a la Guadalupana.

6) El pueblo, gestado por el Guadalupanismo, valora la cultura autóctona, hace que el indígena, el pobre, participe, se convierta en arquitecto social, y colabore con eficacia a la construcción de su mundo.

7) La identificación con los que sufren, las misiones al extranjero, la colaboración responsable para remediar los males y la lucha valiente por defender valores soberanos están incluidos en estas hermosas palabras: "¿No estoy yo aquí que soy tu Madre?" "¿No estás bajo mi sombra?"

8) En el Mensaje Guadalupano la Virgen promueve paradojas de unión ascencional. Valoriza a cada persona y, sin despojarla de sus cualidades y funciones sociales, la impulsa a la colaboración.

Su Imagen gloriosa y bendita nos impulsa a la acción, pues está en actitud de caminante; y su embarazo nos anuncia la llegada de un Nuevo Sol.

9) Configura el alma nacional haciendo sentir un amor que estimula a la perfección personal, a la solidaridad fraterna, y a una jubilosa trascendencia.

215. Venían a reconocer su carácter divino.

a) El signo es espléndido, variado y muy rico en elementos. Más aún, bien se puede decir que no es un solo signo o señal, sino una admirable cadena de "señales".

b) En esta señal, en aquella celestial Imagen los indígenas, siendo extremadamente religiosos por naturaleza pudieron ver de golpe todo un cúmulo de mensajes, ya que es un riquísimo pictograma, un códice náhuatl, un *amoxtli* donde los indígenas pudieron leer, con mirada atónita, muchas cosas que pasaban inadvertidas para los españoles, y que para ellos fueron toda una "revelación-evangelización", Buena Noticia. En ella encontraron sensibilizados muchos conceptos de su tradición secular y hallaron encarnadas sus esperanzas religiosas.

216. Venían a presentarle sus plegarias.

a) El culto a la Madre de Dios se fundamenta en el designio singular, insondable y libre de Dios, que es Amor (1 Jn 4, 7-8). En el Tepeyac el culto a María está basado en sólidos fundamentos teológicos y dogmáticos: María es Madre del Hijo de Dios y, por lo mismo, Hija predilecta del Padre y Templo del Espíritu Santo. Por gracia especialísima es superior a todas las creaturas, terrestres y celestes (LG 53).

Es el amor que la Iglesia tiene por la Madre de Dios, en todo tiempo y lugar, desde la bendición de Isabel (Lc 1, 42-45), hasta las expresiones de alegría, danza, alabanza, súplica en el Tepeyac. Esta fe se expresa en la oración y vivencia de los sacramentos. La misión de María es llevar el mundo a Jesús: "Hagan lo que él les diga" (Jn 2, 4). En el relato Guadalupano se multiplican a profusión las frases maternas, es una cascada de expresiones de inmenso amor maternal. Especial predilección por Juan Diego y, en él, todos nosotros.

217. Mucho admiramos en qué milagrosa manera se había aparecido.

218. Puesto que absolutamente ningún hombre de la tierra pintó su amada Imagen.

a) Sí, se afirmaba, que la pintura era de origen celestial; con todo derecho deberían buscar en ella lo que garantiza la mano de Dios; por eso usa el escritor la palabra *huallateomattia*. La Iglesia también afirma que las cosas han sido hechas por Cristo-Palabra (Flor y Canto) que sale de las entrañas, de la garganta, de los labios del Padre. Dice la liturgia: *Por él, que es tu Palabra hiciste todas las cosas...* (Prefacio de la 2a. Pleg. Euc.).

b) Cuando Juan Diego entregó al obispo la señal pedida, las variadas y exquisitas rosas, y la Imagen apareció pintada en el ayate, la misma Virgen estaba presente invisiblemente en la sala episcopal, mirando a Juan Diego y al obispo Zumárraga. En este momento, nuestro Señor grabó el retrato exacto de María, con tal fidelidad, que hasta en los ojos quedaron retratados Juan Diego y las otras personas que estaban ante ella en ese momento.

c) Pero hay algo muy importante. La Imagen de María de Guadalupe continúa siendo un "signo", "una señal" y sigue entregando poco a poco sus secretos; y no únicamente bajo el ángulo de siempre, sino bajo nuevas consideraciones. Se están descubriendo día con día realidades nuevas, gracias a los métodos de las ciencias modernas, como son captar vida en los ojos de la Virgen, etc.

(La mayor parte de este trabajo ha sido tomado de la *Evangelización Guadalupana*, de Clodomiro I. Siller: *Estudios Indígenas* n. 1, CENAMI, 1987; y del *Nican Mopohua*. Las notas son de P. Mario Rojas, de la diócesis de Huejutla, 1978; y de Primo Feliciano y Velázquez; *Santa María de Guadalupe:* 1531-1931).

Reflexión, trabajos, compromisos

1) Al leer el *Nican Mopohua,* ¿qué te llama más la atención y por qué?
2) ¿Qué descubro para mí en el *Nican Mopohua?*
3) ¿Qué exigencias tiene hoy para nosotros este mensaje?
4) ¿Qué tengo que agradecerle personalmente a la Virgen de Guadalupe?
5) Cómo hacerla conocer hoy?
6) ¿En qué lugar se deja ver Nuestra Señora de Guadalupe, quiénes vivían por ese rumbo?
7) ¿Por qué al dirigirse a Juan Diego le dice *el más pequeño de mis hijos?* ¿En qué consiste esta *pequeñez?*
8) ¿Quiénes son ahora los *pequeños?*
9) ¿En la actualidad, qué tenemos que hacer para lograr la igualdad y la justicia?
10) ¿Por qué la Virgen de Guadalupe escogió para su misión a un indio pobre?
11) ¿En qué se parecen los modos de actuar de Dios y Jesús al de la Virgen de Guadalupe?
12) ¿Cuál es la reacción de Juan Diego, cuando aparecen dificultades?
13) ¿Cómo anima Nuestra Señora a Juan Diego en estas situaciones?
14) ¿Qué es lo que ahora tenemos que aportar al proyecto Guadalupano?
15) ¿Qué te llama más la atención de Juan Diego?
16) ¿Qué te hace pensar la actitud del obispo Juan de Zumárraga?
17) ¿A quién simboliza Juan Bernardino?
18) ¿Qué significa el milagro, para Juan Bernardino?
19) ¿Qué te parecen, y que más te llama la atención de las palabras de María?
20) ¿Universalmente qué significado tienen las rosas?
21) ¿Qué te dice la Imagen?
22) Referente a la Imagen, reflexiona en: Ap 12, 1-2; Sal 18-10; 104, 2; Ct 1, 5-; 6, 10; Sb 7, 29.
23) Hacer un plan de estudio de las Apariciones de la Virgen en el *Nican Mopohua,* en los diferentes grupos eclesiales.
24) ¿Qué puedes hacer por alguna persona, con posición inferior a la tuya?
26) ¿Podrías unirte a otras personas para promover un grupo marginado?

27) ¿Te has puesto a pensar que el compromiso que tienes con Dios de hacerlo presente en el mundo, nadie lo puede hacer por ti?
28) ¿Con tu vida cristiana transformas el mundo en que vives?
29) El amor a la Virgen de Guadalupe nos compromete:
    —a no participar jamás conscientemente en la injusticia;
    —a respetar efectiva y concretamente con amor a toda persona humana;
    —a esforzarnos cada día por superarnos;
    —a ser eficaces para instaurar el bien común en toda comunidad de la que somos miembros.

ININ HUEY TLAMAHUIZOLTZIN
(Esta es la gran maravilla)

La Relación primitiva

Este documento es tenido como el más antiguo de los que se conocen sobre las Apariciones de la Santísima Virgen de Guadalupe. Se atribuye con gran probabilidad al Padre Juan González, hombre santo y sabio, gran conocedor de la lengua náhuatl e intérprete entre Juan Diego y Juan Bernardino, por la parte náhuatl, y Fray de Zumárraga por la parte española.

Contiene lo esencial, sin descender a pormenores, de las apariciones (II Encuentro Nacional Guadulupano, México, D. F. 2 y 3 de diciembre de 1977). Está escrito en lengua náhuatl.

Presentación del Documento

Se halla en el volumen 132-bis de los mss de la Biblioteca Nacional de México y, aunque parezca extraño, es un documento casi desconocido. El volumen es un repertorio de 234 fojas. Proviene de la Biblioteca de Tepotzotlán, de los padres de la Compañía de Jesús, y en el año de su expulsión de América en 1767, pasó al Colegio de San Gregorio y de allí al fondo de la Biblioteca Nacional. El relato, es del siglo XVI y no así la copia que tenemos aunque contiene en forma breve, el relato de la aparición de María.

Datos nuevos que aporta

El mensajero es un labriego de gran piedad; el obispo se muestra un poco sarcástico en su interrogatorio: "¿Soñaste? ¿Te emborrachaste?" Las palabras de la Virgen, al consolarlo son de gran cordialidad: "No se ponga triste mi jovencito". Y es muy importante el testimonio final acerca de cómo ha cumplido la Santísima Virgen su palabra.

Es un náhuatl castizo, se conoce que el que escribe es una persona de cultura castellana.

¿Género literario? Parecen unos breves apuntes del suceso, como ayuda a la memoria, un memorándum; falta el nombre del mensajero, el del obispo, las fechas... algunas cosas sólo están implícitamente entendidas, por ejemplo el que la Santísima Virgen entregue las flores como señal... etc.

El autor

Juan González había sido confesor, capellán, secretario e intérprete del primer obispo.

Nacido hacia el año 1502, pasó a la Nueva España cuando tenía alrededor de 20 años. Vino en busca de fortuna y pidió alojamiento al obispo. Este le dio no solamente el alojamiento, sino la formación, la inclinación a la vida sacerdotal y al fin lo ordenó sacerdote en el año 1534, cuando más tarde. Como Juan había llegado a esta tierra por el 1528, pues fue ordenado diácono (antes de que fuera consagrado Zumárraga) por el obispo de Tlaxcala, fray Julián Garcés, queda claro que en 1531 estaba al servicio del primer obispo de México y necesariamente debió intervenir en los hechos. Zumárraga jamás supo la lengua de los indios, como varias veces en sus cartas lo dice, y Juan Diego no supo la castellana en los tiempos de la manifestación guadalupana. Hubo de haber intérprete e intermediario en las entrevistas; ése no pudo ser sino Juan González.

Juan de Tovar, hijo del conquistador homónimo, nació en Texcoco en 1555. Era prebendado de la catedral de México y secretario de su cabildo en 1572, al llegar los padres de la Compañía de Jesús. Ingresó en ésta y vivió evangelizando a los indios por espacio de cincuenta y tres años. Tan perito era en la lengua y cosas de los indios, y tan ávido de atesorar noticias referentes a la historia de éstos, que el virrey Enriquez le encomendó de escribir una historia antigua, que fue llevada a España y es conocida hoy día en grandes fragmentos.

En el cabildo de México había hallado y tratado al Padre Juan González, que fue canónigo, como él y, como él, estudioso de las cosas indianas y muy perito en su lengua y en sus documentos. Juan González, cuando por el año 1535 entró en el cabildo de México como canónigo, llevaba recogidos sus datos. De toda verosimilitud es que entre sus apuntes había una relación de los hechos guadalupanos. La conoció a su lado Tovar, y cuando renunció a su prebenda para dedicarse a la evangelización con toda el alma, como lo hizo hasta su muerte, acaecida en 1591, de gran perfección de vida, que dio pie a que se introdujera la causa de su beatificación, hubo de legar a Tovar todos sus papeles. Siendo ambos de la misma afición y conocimiento de las cosas de México antiguo, y habiendo convivido varios años en el cabildo, nada más seguro que esta herencia intelectual se la cedió. Tovar, al entrar en la orden de los Jesuitas, llevó sus papeles. Entre ellos el relato que se copió en el manuscrito que tenemos hoy día en la Biblioteca Nacional de México.

Esta somera exposición que puede documentarse rigurosamente nos lleva a la conclusión de que este pequeño relato procede de un personaje de autenticidad innegable que intervino en los hechos.

Esquema del Documento
Principio: presentación 1-3
Medio 4-34

A) Primera Aparición
El vidente 4-6
La Madre de Dios 7
Su petición 8-12
Lo envió a México 8
Al gobernante espiritual 9
Pide un templo 10
Finalidad del templo 11
Qué hará ella en cambio 12

B) Embajada y resultado
Trasmite la voluntad de la Santísima Virgen 13-16
El "Arzobispo" no cree 17-18
Pide una señal 19-20

C) Nueva aparición 21
Da cuenta de su embajada 22-25
La Santísima Virgen lo consuela,
Lo envió a cortar flores 2-27
Ponderación de las flores 28
Las corta y las pone en su tilma 29

D) Entrega de la señal
Vuelve a México 30
Entrega al obispo las flores como señal 31
La señal permanente es la Imagen 32-33
Efectos en el obispo y los presentes 34
Fin 35-39

Inin Huey Tlamahuizoltzin

Esta es la gran maravilla

1. Esta es la gran maravilla que Nuestro Señor hizo por medio de la Siempre Virgen Santa María.
2. Héla aquí:
3. Lo que tendréis noticia, lo que escucharéis en qué milagrosa manera quiso que se le edificara una casa, que se le estableciera una habitación que llamarían Reina Santa María en el Tepeyac.
4. Así sucedió esto: Un pobre hombre del pueblo, un *macehual* de verdadera gran piedad.
5. Dicho labriego (pobre coa, pobre *mecapall*, allá en el Tepeyac andaba por allí caminando en la cumbre,
6. Para ver si por ventura una raicita pudiera escarbar), haciendo la lucha para ganarse la vida.
7. Allí vio a la amada Madre de Dios, que lo llamó y le dijo:
8. *Hijo mío el menor, anda al interior de la ciudad de México y*
9. *Dile al que allí gobierna en lo espiritual, al arzobispo,*
10. *Que Yo quiero con gran deseo que aquí en el Tepeyac, me hagan una habituación, me levanten mi casita.*
11. *Para que allí vengan a conocerme bien, vengan a rogarme los fieles cristianos.*
12. *Allí me convertiré (en ello) cuando me hagan su Abogada.*
13. Luego fue aquel pobre hombrecillo a presentarse ante el gran sacerdote gobernante arzobispo, y le dijo (en el margen
14. Señor): no voy a serte importuno, pero he aquí que me ha enviado la Señora del Cielo,
15. Me dijo que te viniera a decir cómo desea que allí en el Tepeyac se haga, se erija para ella, una casita para que allí le supliquen los cristianos.
16. También me dijo que en cosa muy suya (en su riqueza) allí se convertiría cuando allí la invocaren.
17. Pero el arzobispo no le dio crédito, nomás le dijo:
18. ¿Qué dices, hijo mío? !Tal vez soñaste o quizá te emborrachaste!

19. Si en verdad es cierto (en el margen lo que dice, dile) a esa Señora que te lo dijo que te dé alguna señal,
20. Para que creamos que realmente es cierto lo que dices.
21. Regresó (*en el margen* nuestro hombrecillo, venía sumamente triste, y se le apareció de nuevo la Reina).
22. Y cuando nuestro hombrecillo la vio le dijo:
23. Niña, ya fui a donde me enviaste, pero no me cree el señor.
24. Nomás me dijo que tal vez lo soñé o tal vez me emborraché,
25. Y me dijo que para creerlo me dieras una señal para llevársela.
26. Y la Señora Reina, la Amada Madre de Dios, luego le dijo:
27. *No te pongas triste, mi jovencito, anda a recoger, anda a cortar unas florecitas a donde brotaron.*
28. Estas flores sólo por milagro allí brotaron, porque en aquella sazón estaba la tierra muy seca, en ninguna parte se abrían las flores.
29. Cuando las cortó nuestro hombrecito las puso en el hueco de su tilma.
30. De allí se fue a México a decirle al obispo:
31. Señor, aquí traigo las flores que me dio la Celestial Señora para que creas que es verdad su palabra, su voluntad, que te vine a decir, que es cierto lo que Ella me dijo.
32. Y cuando extendió su tilma, para mostrar las flores al Arzobispo, allí también vio en la tilma de nuestro hombrecito,
33. Allí se pintó, allí se convirtió en señal-retrato la Niña Reina en forma prodigiosa, para que finalmente creyera el arzobispo.
34. A su vista se arrodillaron y la admiraron.
35. Y en verdad que la misma Imagen de la Niña Reina aquí sólo por milagro en la tilma del pobre hombre (*en el margen:* se pintó) como retrato, donde ahora está puesta como lustre de todo el universo.
36. Allí vienen a conocerla los que le suplican (sus devotos).
37. Y ella, con su piadosa maternidad (con su afecto maternal) allí les ayuda, les da lo que le piden.
38. Y en verdad que si alguien plenamente la reconoce por su abogada, y totalmente se le entrega, amorosamente bien en su intercesora se convertirá la Amada Madre de Dios.
39. En verdad que mucho le ayudará, se lo mostrará a quien la estime, a quien bajo su sombra, bajo su resguardo, vaya a meterse.

(Algunos datos, la traducción y numeración son del Pbro. Mario Rojas).

Otro escrito muy antiguo dice así:

Su hermoso rostro es muy grave y noble, un poco moreno. Su precioso busto aparece humilde: están sus manos juntas sobre el pecho, hacia donde empieza la cintura. Es morado su cinto. Solamente su pie derecho descubre un poco la punta de su calzado, color de ceniza. Su ropaje(1), en cuanto se ve por fuera, es de color rosado, que en las sombras parece bermejo; y está bordado con diferentes flores, todas en botón y de bordes dorados. Prendido de su cuello está un anillo dorado, con rayas negras de las orillas, y enmedio una cruz. Además, de adentro asoma otro vestido blanco, que ajusta bien en las muñecas y tiene deshilado el extremo. Su velo(2), por fuera, es azul celeste, sienta bien en su cabeza; para nada cubre su rostro; y cae hasta sus pies, colgándose un poco por en medio: tiene toda su franja dorada, que es algo ancha, estrellas de oro por doquiera, las cuales son cuarenta y seis. Su cabeza se inclina hacia la derecha; y encima, sobre su velo, está una corona de oro, de figuras ahusadas hacia arriba y anchas abajo. A sus pies está la luna, cuyos cuernos ven hacia arriba. Se yergue exactamente en medio de ellos y de igual manera aparece en medio del sol, cuyos rayos la siguen y rodean por todas partes. Son cien los resplandores de oro, unos muy largos, otros pequeñitos y con figuras de llamas: doce circundan su rostro y cabeza; y son por todos cincuenta los que salen de cada lado. Al par de hilos una dentada(3) nube blanca rodea los bordes de su vestidura. Esta preciosa Imagen, con todo lo demás, va corriendo(4) sobre un ángel, que medianamente acaba en la cintura, en cuanto descubre; y nada de él aparece hacia sus pies, como que está metido en la nube. Acabándose los extremos del ropaje y del velo de la Señora del cielo, que caen muy bien en sus pies, por ambos lados los coge con sus manos el ángel, cuya ropa es de color bermejo, a la que se adhiere un cuello dorado, y cuyas alas desplegadas son de plumas ricas, largas y verdes, y de otras diferentes. La van llevando las manos del ángel, que al parecer, está muy contento de conducir así a la Reina del Cielo.

Notas

1. *Ininechichihuatzin*, reverencial de *nechichiualli*, por nechichi-hualiztli, "aparejo o aderezo del que se compone y atavía",
2. *Itlapachiuhcatzin*, reverencial de *tlapachiuhcáyotl*, "cobertura de algo o velo y toca de mujer".
3. *Tlatlatica*, de *tlanti*, "diente", con reduplicación, para denotar que son varios.
4. *Tlaccaticac*, de *icac* y el pretérito de *tlacca, ni*, "ir muy de prisa o correr".

Reflexión, trabajos, compromisos

1) ¿Qué significa: *Inin Huey Tlamahuizoltzin?*
2) ¿Qué nos puedes explicar y decir de este documento?
3) ¿Quién fue Juan González y a que se dedicó en su vida?
4) ¿Qué nos puedes decir de Juan Tovar?
5) ¿Cuál es el esquema del Documento y qué novedades nos aporta?
6) ¿Qué más te interesa o te llama la atención del *Inin Huey Tlamahuizoltzin?*
7) ¿Qué más te gusta o te llama la atención del relato de la Virgen de Guadalupe?
8) La Virgen del Tepeyac se mostró en la tilma de Juan Diego inicialmente para liberarnos del pecado y, posteriormente, realizar en nosotros una transformación en Jesús. ¿Cómo lo llevas a cabo?
9) Se pueden hacer muchos compromisos apostólicos: acto de admisión de nuevos miembros en algún grupo mariano (Asociación Guadalupana, Juventud Mariana, etc), e imponer insignias, medallas, etc., como signo de la asistencia y compromiso con María.
10) Todos, congregados en torno a María, ofrecemos cirios, flores, resoluciones, etc., como signo de nuestra alabanza, oración y compromiso.

EL TEMPLO QUE PIDE LA VIRGEN DE GUADALUPE

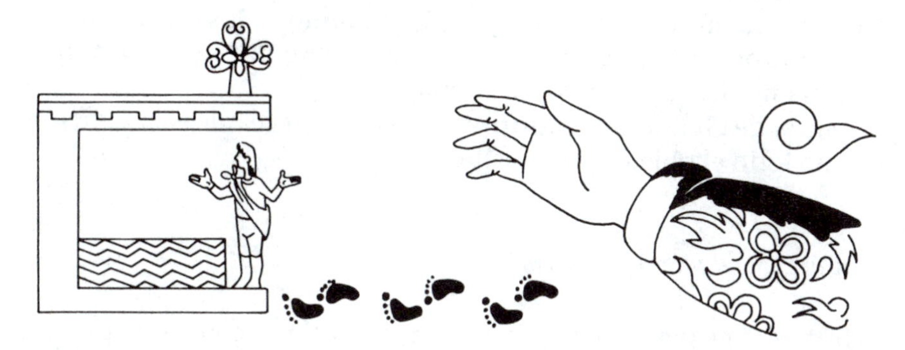

Según el número 26 del *Nican Mopohua* María pide un "Templo" para allí:

—Mostrar, hacer ver, y dar: *notetlazotlaliz,* "mi amor a la gente".

—*Noteicnoitaliz,* "mi compasión".

—*Notepelehuiliz:* "mi ayuda".

—*Notemanahuiliz* "mi defensa".

Y al dar amor suscita y despierta también una respuesta de amor, de entrega, compromiso, alegría, entusiasmo, misión y creatividad.

El templo que pide la Virgen es un templo del amor y para el amor, un templo de solidaridad y para la solidaridad cristiana, un templo de la comunidad y para la comunidad, un templo de justicia. En una palabra un templo de fe, *tlaneltoquiliztli,* como seguimiento de la verdad.

Tepeyac está formado por las palabras *Tépetl* —cerro—, y *yácatl* —punta o nariz—, la parte más saliente de los cerros.

Se sabe que los aztecas tenían en el Tepeyac una pirámide dedicada a la diosa Tonantzin: madrecita, o Teonantzin: madre de los dioses. Y Cihuacoatl, mujer de la culebra; lo que indujo al historiador fray Bernardino de Sahagún a tomarla por la primera mujer, presumiendo que estos indios *"tenían noticia de lo que pasó entre nuestra madre Eva y la culebra"* (Sahagún, Hist. 1-5).

El Tepeyac, lugar tradicional de la madre de los dioses para los aztecas, Teonantzin, es el lugar que escoge la Madre de Dios para proclamarse Madre del pueblo.

Desde las ruinas de la idolatría surge la Madre de Guadalupe, que se identifica con el pueblo y le infunde la fe.

Ella se sitúa decididamente en el lugar de los pobres, en la periferia, donde el indio pasa y anda, allí son los encuentros con Juan Diego.

Es muy cierto que el amor no sólo se manifiesta dando, sino también pidiendo. Hay cosas que sólo pedimos a los que amamos. Hay cosas que sólo podemos pedir a nuestra madre y hay cosas que sólo una madre puede pedir a su hijo.

María de Guadalupe pide un templo, y parece que esta petición resume todo el objeto de su visita.

1. *Su presencia quiere ser permanente*

Su visita es permanente, y un templo es signo constante de que su presencia es de todos los días. Y por eso nos deja su Imagen, regalo milagroso que la Virgen hace a sus hijos.

Cada generación que viene después de Juan Diego podrá vivir la misma experiencia de gracia y de salvación por medio de este templo y de esta Imagen, signos de la presencia y de la acción maternal siempre actual de María.

Cuando María de Guadalupe pide un templo, su deseo va más allá del templo material, es más bien un templo espiritual que nunca terminaremos de construir, siempre se estará edificando. Primero que nada tendremos que construirlo en nosotros mismos. San Pedro nos dice: *"Ustedes son piedras vivas con las que se construye el templo espiritual destinado al culto perfecto, en el que por Cristo Jesús, se ofrecen sacrificios espirituales y agradables a Dios"* (1 Pe 2,5). Santa María de Guadulupe quiere ante todo, un templo espiritual en el corazón de cada uno de los habitantes de esta tierra.

Nos lo dice el Papa Paulo VI: *"Las multitudes que hoy y en el futuro se encontraran sobre las alturas del Tepeyac, y las que desde todos los ángulos de México mirarán hacia él, deberán descubrir allí su hermandad profunda como hijos del mismo Padre. Y al implorar juntos a la Madre de misericordia, de todos cuantos viven en esta tierra, habrán de reflexionar y vivir las exigencias prácticas que ello implica"* (Cfr Ex 20, 1-7; 1 Cor 1, 22-25; Jn 2, 13-25).

Es necesario que nos pongamos a pensar en nuestra realidad personal: ¿Somos templos vivos de Dios, o no?

2. *Construir la comunidad*

La fe cristiana se vive siempre en comunidad y hace comunidad. Es así como Jesús inicia su obra, cuando reúne a sus discípulos en una comunidad, y como comunidad los forma, los instruye, los prepara para que lleguen a ser testigos suyos, enviándolos al mundo para que hagan discípulos y construyan la Iglesia por la predicación del *Evangelio.*

Si María de Guadalupe viene a llamarnos a la fe, viene a proclamar la Buena Nueva de la salvación, se comprende que nos pida un templo, porque quiere que nuestra respuesta a esa llamada se exprese y se viva en comunidad.

La visita de María a nuestro Continente, es como su visita a Isabel:

—Entra totalmente y se encanta en nuestra realidad.
—Nos trae la presencia de Jesús.
—Nos hace saltar, danzar, cantar de alegría.

Ella hace que se anuden los lazos de comunión y fraternidad de todos los que creen: ésta es la Iglesia.

Es indispensable verificar si estamos viviendo nuestra fe con esta dimensión eclesial. ¿Celebramos esta fe en comunidad? ¿La Eucaristía nos permite encontrar al Señor, vivir con él un diálogo y una comunión profunda, y al mismo tiempo nos impulsa a vivir en comunión con nuestros hermanos? La oración y la celebración de los sacramentos no pueden separarse de un compromiso concreto en favor de la justicia, la fraternidad y la paz.

Tenemos una gran irradiación por el templo, con la imagen que es la señal, y su mensaje que rebasa naciones, razas, culturas y pueblos.

Junto con el templo material, se va formando un templo espiritual; con gente de toda clase, categoría y condición, que forman corrientes de fe y de amor en el Tepeyac, porque la Guadalupana se manifiesta continuamente en milagros y favores a sus hijos.

En el Tepeyac nace nuestra historia; cada templo, Imagen, capilla o altar guadalupano, responde al deseo de la Virgen.

La misma Reina gobernadora, María Ana de Austria, escribía por aquellos años:

"...no hay ninguna ciudad en el populoso Reino de la Nueva España en que no se tenga una capilla especial a Nuestra Señora de Guadalupe..."

Primera Ermita

Ansioso Zumárraga de cumplir la voluntad de la Virgen de Guadalupe, tan pronto como Juan Diego señaló el sitio de la Aparición, determinó que se levantara la Ermita, formada de ramas y adobes. El 26 de diciembre de 1531, dos semanas después de su aparición la Virgen fue trasladada de la iglesia del obispo a su Ermita en el Tepeyac.

En efecto, el templo material comenzó con la Ermita Zumárraga (1531). Esta pequeña construcción estuvo colocada de Oriente a Poniente y ayudaron para su edificación los indios de Cuauhtitlán, pueblo natal de Juan Diego. Este recinto fue insuficiente y tuvieron que ampliarlo y se terminó en 1556-1622, la que se llama Ermita Montúfar. Noventa años estuvo en esta Ermita la Imagen de Nuestra Señora de Guadalupe.

Según la tradición, ahí tuvo su habitación Juan Diego, y en la sacristía está enterrado su cuerpo.

Iglesia de los Indios

En 1694 se puso la primera piedra para levantar la Iglesia de los Indios. Dicha obra se debe al Bachiller Luis de la Vega, para perpetuar la tradición, pues según ella en este lugar entregó la Santísima Virgen las flores a Juan Diego y fue allí donde estuvo la Ermita primitiva, siendo después bautisterio y posteriormente casa habitación de Juan Diego. Donde actualmente está una Cruz y una fuente para señalar el lugar donde vivió Juan Diego de 1531 hasta su muerte en el año de 1548.

Esta iglesia, llamada Parroquia de los Indios, porque ellos la hicieron, constó primero de 14.80 metros y fue construida entre 1640 y 1650. Más tarde en 1694 se le empezaron a agregar 13 metros más.

En esta iglesia fue venerada la Imagen original de Santa María de Guadalupe, después fue trasladada a su nuevo Santuario.

También en el altar mayor de esta iglesia estuvo depositada del 12 de diciembre de 1853 al 17 de febrero de 1896, la Imagen de la Virgen de Guadalupe que el egregio caudillo D. Miguel Hidalgo y Costilla, iniciador de la Independencia de México, tomó en Atotonilco Guanajuato el 16 de septiembre de 1810, para que fuese bandera del improvisado ejército insurgente. Encontrándose en la actualidad en el Museo Nacional de Arqueología.

Iglesia del Cerrito

La iglesia del Cerrito data de 1666. Antes, como recuerdo de la primera aparición de la Virgen, había hacinamiento de piedras, que servía de peana a la cruz de madera. En aquel año D. Cristóbal Aguirre y Doña Teresa Peregrina hicieron una capilla y pusieron una renta, para que con sus intereses se celebrara la Eucaristía cada día 12 de diciembre. Y poco antes de la fundación de la Colegiata el Pbro. D. Juan José de Montúfar levantó una iglesia de bóveda en el mismo lugar de la capilla y arregló la rampa que por el poniente permitía la subida al cerro. Construyó varios aposentos y unas tribunas para la iglesia, que después amplió el padre José Olazarán, formando altos y bajos, y en ellos una casa de ejercicios.

Efectivamente en el lugar de las tres primeras apariciones, en la cumbre del Tepeyac, tenemos la iglesia del Cerrito.

En ese lugar hay dos lápidas que dicen lo siguiente:

1) En las inmediaciones de este lugar al amanecer el sábado 9 de diciembre de 1531 la Madre de Dios habló por primera vez con Juan Diego.

   Por la tarde, ese mismo día, y al amanecer el domingo 10 de diciembre, nuevamente habló con él. El día 12 de diciembre por la mañana, Juan Diego recogió de este sitio las rosas del milagro.

2) Honró esta cima el contacto amable de las Sagradas Plantas de María; resonó en estas peñas la armonía que formó el cielo en gozo inexplicable. Aquí se oyó la voz dulce y afable con que al feliz Juan Diego le ofreciera oficios de una Madre tierna y pía.

   La que es del mismo Dios Madre admirable, a su imperio este cerro dio flores, con que pintó la Reina su hermosura que en prenda nos dejó de sus amores.

   Quiso obrar tal prodigio en esta altura, y quedaron grabados sus favores mejor que en duro bronce, en peña dura.

Cruz del apostolado

El día de la coronación Pontificia de la "Dulce Aparecida de América" fue el 12 de octubre de 1895. Fue levantada al frente de la iglesia del Cerrito, al lado izquierdo, la "Cruz del Apostolado", por los siervos de Dios: Dr. Ramón Ibarra, obispo de Chilapa, y la Sra. Concepción Cabrera de Armida. Fue renovada en 1918 por el siervo de Dios Félix de Jesús Rougier, y en 1955 por el P. Juan Manuel Gutiérrez, Msp S.

Escalinatas

La iglesia del Cerrito es el punto en que se unen las dos escalinatas por donde se asciende al Cerro del Tepeyac. Ahora están hermosas, rodeadas de flores y tienen jardines a su alrededor.

Al subir del lado derecho tenemos: "La vela de los marinos", cuya relación dice así:

"Combatido un buque por un fuerte temporal, perdido el timón, el rumbo y toda la esperanza de salvarse, la tripulación invocó a la Santísima Virgen de Guadulupe, haciéndole presente que, si quedaba salva, le traería a presentar a su Santuario el palo de la embarcación cual se encontraba".

La Santísima Virgen oyó los ruegos de sus hijos y la destrozada nave entró salva al puerto de Veracruz".

La tripulación cumplió su promesa y trajo en hombros la parte que quedó del navío hasta el Santuario, y la dejó como ofrenda en una construcción, que se encuentra en esta escalinata.

La anteriormente rampa del lado poniente fue construida en la primera mitad del siglo XVIII por D. Juan José de Montúfar, y lleva en primer lugar al cementerio del Tepeyac y después a la iglesia del Cerrito.

El cementerio del Tepeyac, que se extiende en la cumbre del cerro de su nombre, es el sitio que eligen las familias devotas de la Virgen para enterrar a sus familiares, ahí se encuentran enterrados personajes de significación en su época.

Ambas escalinatas la del poniente y la del oriente, se ligan de modo que es fácil ascender por una y bajar por la otra. Al bajar la escalinata por el lado oriente se encuentra la Virgen de la Columna, para conservar la memoria del lugar en que según la tradición la Santísima Virgen salió al encuentro de Juan Diego y, además, en el diálogo que sostuvieron le aseguró que su tío Juan Bernardino había sido curado de grave enfermedad.

En este lugar estuvo la llamada Capilla de las Rosas, en donde se firmaron las Constituciones de la naciente Congregación mexicana de los Misioneros del Espíritu Santo, el 25 de diciembre de 1914.

Bajando por la escalinata poniente a los lados encontramos:

Las estatuas de Juan Diego y el Obispo Zumárraga en el momento del milagro; parecida a la de los jardines del Vaticano, que regalaron los mexicanos a la Santa Sede en 1939. El Papa Juan XXIII la trasladó a un lugar más prominente.

Estatua de Fray Junípero Serra, evangelizador de California. A su llegada a México el 31 de diciembre de 1749, pasó la noche en oración, preparándose para las misiones.

Parroquia de Guadalupe

Al acabar el siglo XVI, pareciendo ya la Iglesia de los Indios estrecha, resolvió el Cabildo levantar otra, pusieron la primera piedra un ocho de septiembre en que celebraron la fiesta de la Natividad de Nuestra Señora.

Una lámina de plomo descubierta en 1695, cuando derribaron esta nueva iglesia, enuncia la fecha y circunstancias de la dedicación: 1609 (Cabrera Quintero, Escudo de Armas de México, No. 708).

Se levantó esta iglesia cerca de la calzada; y aunque no distaba mucho de la antigua, la mudanza engendró dudas; y antes de trasladar la Santa Imagen, se la tuvo ocho días en una ramada, como refirió fray Antonio de Mendoza: "para ver y experimentar más bien su voluntad y en lo que fuese más bien servida que se hiciese; y viendo no se experimentaba novedad en esta Santísima Señora, se llevó y colocó en la segunda iglesia y santuario".

El P. Francisco de Florencia la describe así:

Es de bastante capacidad y de hermosa arquitectura, con dos puertas: una que mira al poniente, por un costado y sale a un espacioso cementerio, hermoseado su muro de almenas, el cual por aqueste lado tiene una entrada capaz y desahogada que mira a la plaza, con una bellísima Cruz de cantera que hace labor de ella. Otra al mediodía, que tiene casi enfrente a México, con su portada y dos torres que acompañan vistosamente su arquitectura. El techo es de media tijera, de artesones curiosamente labrados, con más esmero en la capilla mayor, que es una piña de oro, donde estaban pendientes más de sesenta lámparas de plata grandes y pequeñas. El altar mayor, a la parte del norte, tiene su retablo de tres cuerpos, en la escultura de buen arte en lo dorado y estofado de todo primor. En medio de él está un tabernáculo de plata maciza, cuya materia, con ser tanta y tan preciosa, cede a los primores del arte con que está labrada. En este está colocada la Santa Imagen, debajo de puerta y llave; y en las puertas de dos bellas lunas de cristal, tan grande que cogen la Imagen de pies a cabeza...

A mediados del año 1694 los acaudalados Lic. D. Ventura de Medina y el capitán Don Pedro Ruiz, movidos por su amor a la Virgen, propusieron al Señor Arzobispo la construcción de un nuevo Santuario en el Tepeyac, como se merece esta soberana Señora.

Y suplicaron al Señor Arzobispo demoler la Iglesia y en su mismo lugar edificar la nueva, obligándose a ampliar y adornar la llamada de los Indios, a donde se trasladaría la Santísima Virgen para no interrumpir su culto.

Entonces, el 17 de julio de 1694, el Arzobispo Francisco de Aguilar y Seijas concedió, previo edicto, demoler el antiguo Templo de Guadalupe para erigir otro, cuya primera piedra colocó el prelado el 25 de marzo de 1695.

El 27 de abril de 1709, fue dedicada la nueva parroquia de Nuestra Señora de Guadalupe con extraordinaria pompa *(Album de la Coronación de la Santísima Virgen de Guadulupe,* edición de *"El Tiempo"*, pág. 44).

Dicha nueva Iglesia tenía las novedades siguientes:

—Indudablemente fue una de las más hermosas iglesias del hemisferio occidental.

—Está hecha de piedra y roca roja volcánica.

—La fachada se ornamenta con estatuas de santos y motivos de bajorrelieve describiendo las apariciones.

—Las torres de los campanarios son de 108 pies de alto, la cúpula de 124 pies. Tiene 184 pies de largo por 122 pies de ancho. Tiene tres naves, ocho grandes columnas soportan los techos cóncavos, quince domos y arcos.

—El domo central se divide en ocho secciones cubiertas con mosaicos venecianos que representan las apariciones y la transición del paganismo al cristianismo.

—Del domo central pendía un gran candil. Su armazón soporta cientos de prismas de cristal cortado a mano y 225 focos. Fue hecho en la ciudad de México y pesa dos toneladas. Dos candiles más pequeños de 150 luces cada una colgaban sobre el santuario.

—Dieciséis candelabros de plata antigua colgaban entre las columnas.

—Seis enormes pinturas de aceite hechas por pintores de renombre y que representan eventos en la historia Guadalapana, cubrían las paredes.

—El grandioso órgano tiene 2,000 tubos, un pedal y 200 registros.

—A los lados, en la pared y detrás del altar principal había treinta y cinco nichos semicirculares bellamente esculpidos en madera preciosa.

—Sobre los nichos, hay cinco vitrales que fueron hechos en Munich, Alemania.

—Y hacia la izquierda estaba la sede dorada del obispo.

—El altar central está hecho de mármol blanco de Carrara, sobre éste se colocó la tilma de Juan Diego en la que apareció la Imagen de la Santísima Virgen.

Está dentro de tres marcos: el primero de oro, el segundo de plata y el tercero de bronce; y está resguardada por el reverso con una gran lamina de plata.

Para que allí se cantaran sin cesar las alabanzas del Altísimo, se trataba de erigirlo en Iglesia Colegiata. Y Benedicto XIII, el 9 de enero de 1725, expidió la Bula erigiendo en Colegiata la Parroquia de Guadalupe.

Iglesia del Pocito

Al pie del cerro y al oriente del Santuario brota un manantial de aguas gaseosas, alcalinas y ferruginosas a las que se atribuyen virtudes curativas. Se dice que esa fuente marca uno de los sitios en que la Virgen se apareció a Juan Diego. Como prueba de veneración, el Bachiller Luis Lasso de la Vega erigió, de 1648 a 1649, una construcción que cubriera el manantial. Posteriormente se levantó la capilla actual, que fue comenzada el primero de junio de 1777 y concluida en 1791.

Es bueno recordar que el arquitecto que gratuitamente hizo una obra de arte fue D. Francisco Antonio Guerrero y Torres, un hombre eminente en sus tiempos.

Y que tiene obras famosas de Arquitectura en México.

La Capilla del pocito es una de las obras arquitectónicas de mayor originalidad del país.

Es un templo bellísimo, que mide 35 varas de oriente a poniente y veintiuna de norte a sur.

Su planta, con una traza sumamente ingeniosa, consiste en un cuerpo elíptico central al cual se adosan otros dos de menores dimensiones. La parte mayor forma lo que es propiamente la Capilla; las otras dos están destinadas, una para cubrir el manantial, y la otra para dependencia del culto. Inmediato a ésta se encuentra el altar principal de la Iglesia, en el cual se ostenta una copia de la Guadulupana, y en otros cuatro sitios especiales están representadas las apariciones de Nuestra Señora. Son notables el confesionario y el púlpito, sostenido por una figura de indio que parece representar a Juan Diego.

A toda la capilla corona una cúpula muy alta, de quince varas una tercia de diámetro. Tiene esta iglesia dos entradas: una por el poniente, donde se halla el pocito, y otra por el sur.

Por el exterior, las tres partes de la Iglesia están cubiertas con cúpulas y linternas revestidas de azulejos de vivos colores. En los moros exteriores se combina el severo color rojo del tezontle con el claro matiz de la piedra de talla. Las formas son originalísimas y, de no existir otras obras del mismo autor, bastaría sólo ésta para colocarlo en un lugar eminente entre los arquitectos de esta tierra. Había dos estanques, receptáculos de la fuente para que se lavaran los enfermos. Tenía a la entrada la fuente milagrosa. Y aunque las aguas brotaron milagrosamente durante las apariciones, se tiene por más probable que existieron mucho antes. Lo que sí es cierto, es que desde las apariciones obró la Virgen grandes milagros con las aguas del pozo.

En el exterior de la Capilla hay una lápida que dice lo siguiente:

"En esta Capilla se detuvo a orar el más grande de los caudillos insurgentes: El generalísimo Dn. José María Morelos y Pavón, al pasar por esta ciudad en la mañana del 22 de diciembre de 1815 rumbo a San Cristóbal Ecatepec, para ser sacrificado".

Calzada de los misterios

Debe su nombre a la serie de monumentos votivos que en su lado oriental se levantan. La importancia de la Calzada se adivina por la construcción de monumentos que contiene.

Los pilones llamados misterios, encierran cada uno un simbolismo bien preciso y son realizaciones arquitectónicas igualmente perfectas. Estaban distanciados de modo de permitir el rezo de un misterio del santo rosario en tanto que se iba caminando cómodamente de un misterio a otro.

La calzada ya existía en 1604, pues en este año fue deteriorada por una inundación y reconstruida con la ayuda de dos mil peones por el célebre historiador Fray Juan de Torquemada, en cinco meses de trabajo.

El virrey arzobispo Fray Payo Henríquez de Ribera gastó grandes sumas en su reparación, embellecimiento y conservación. Las obras se comenzaron el 17 de diciembre de 1673. Y se terminó la calzada el 14 de agosto de 1676.

En 1854 fue recompuesta la calzada por personajes de la época administrativa del General Santa Anna. En la actualidad está esperando su turno de embellecimiento.

Iglesia de Capuchinas

1780, junio.

Real cédula autoriza se edifique la iglesia y convento de Capuchinas, a un lado de la Colegiata, con el objeto de tener adoración perpetua al santísimo Sacramento.

1782, 3 de octubre.

Se inicia la construcción del templo de las capuchinas, junto a la Colegiata.

1783, 12 de octubre.

El Arzobispo de México, D. Alonso Nuñez de Haro y Peralta, bendice la iglesia y el convento de Capuchinas de Guadalupe.

1787, 13 de octubre. Se dan por terminadas las obras del templo y convento de capuchinas de Guadalupe; el 16 es solemnemente inaugurado.

Colegiata de Guadalupe

Por haberse resentido los muros y bóvedas a causa de la construcción del convento de Capuchinas, al mismo tiempo que en repararlo se pensó en dar mayor amplitud al Santuario.

Se encomendó la ejecución al célebre escultor Don Manuel Tolsa, quien comenzó a recopilar mármoles, haciendo venir el negro de Puebla y el blanco, pardo y rosa de San José Vizarrón, cerca de

Cadereita. Asimismo empezó la fundición y trabajo de los adornos de bronce y calamita que iban a emplearse en la obra; la cual, por ser muy costosa, caminaba con lentitud y quedó en suspenso de 1810 a 1826, con motivo de la guerra de la Independencia.

Al reanudarse la obra, vigorosamente la impulsaron tanto obispos como canónigos y le dieron término en los meses de abril a diciembre de 1836, durante los cuales, y para trabajar con libertad, se trasladó la Santa Imagen al convento de Capuchinas.

He aquí cómo la describe un testigo ocular:

La planta del nuevo altar era la mitad de un exágono cóncavo. En la línea de en medio se levantaban dos pilastras de mármol blanco.

En los intercolumnios había dos pedestales y sobre ellos descansaban las imágenes de san Joaquín y Señora Santa Ana. En los mismos intercolumnios se abrieron dos nichos para poner las de san José y de san Juan Bautista. Sobre el cornisamento había otros tres pedestales, en las que estaban san Miguel, san Rafael y san Gabriel.

Encima de san Miguel, entre un grupo de serafines y nubes que despiden grandes ráfagas, se colocó de relieve al Padre Eterno y al Verbo. El centro del altar lo ocupaba un tabernáculo de mármol rosado, de forma semicircular y arriba se hallaba la santa Imagen, y posteriormente estaba el Espíritu Santo. Todos los adornos del altar eran de calamina y bronce dorado y los mármoles empleados en él de singular belleza.

Se adornó en la forma conveniente todo el presbiterio: los embones que había allí y el púlpito de la iglesia, eran de los mismos mármoles que el altar. El resto del templo se encontraba compuesto por el mismo orden y gusto. Todo él se hallaba pintado de estuco y oro en sus muros, bóvedas y columnas.

Los altares que se apoyaban en los muros laterales, dedicados a los insignes santos, no desdecían del altar principal, pintados de blanco y oro, en armonía con el ornamento de muros y bóvedas: eran todos de igual diseño y semejantes al altar mayor; el presbiterio de cada altar estaba cercado de una hermosa balaustrada de calamina con almenas de plata. Era la sacristía un gran salón de bóveda con bastante luz y adornado con varios cuadros de grandes pintores. En su alrededor estaba un mueble con muchos cajones de madera fina tallada y en su centro varias mesas, una de las cuales es notable por tener de cubierta una piedra de tecalli, de más de tres varas de largo y su correspondiente ancho.

La situación del templo es de norte a sur y tiene tres puertas, una de frente que mira a México, y dos a los costados. La primera del costado oriente posteriormente fue cubierta por el convento de Capuchinas.

Otros sucesos: 1792, 7 de junio. Se estrena la campana mayor de la Catedral, llamada Santa María de Guadalupe.

1794, 27 de marzo. Se celebra el primer sorteo de la Lotería de Nuestra Señora de Guadalupe, creada para el sostenimiento del culto en su Santuario. Suprimida por Juárez en 1861, la restablece el Imperio en 1863.

Otra reconstrucción del Santuario de N. S. de Guadalupe

El edificio de la Colegiata se conservó en el estado descrito hasta 1887. Desde el año de 1880 volvió a concebirse la idea de llevar a cabo la coronación de la Virgen de Guadalupe. Con tal motivo, en la misma época se habló de reformas y ampliaciones a la iglesia.

En 1887, su santidad León XIII, dio el decreto de coronar solemnemente a la Santísima Virgen de Guadalupe, se determinó reformar con esplendidez el Santuario para significar mejor la devoción del pueblo mexicano. La principal reforma era quitar el coro de en medio de la nave central, a fin de que hubiera mayor espacio al concurso de fieles y luciera más la devotísima Imagen.

En 1888 fue trasladada otra vez la Imagen de nuestra Señora de Guadalupe para que comenzaran las obras, de la Colegiata.

Empezaron el 9 de octubre del año citado. Y al examinar el terreno para la ampliación, se encontró que la torre del lado de la sacristía estaba hundida y desprendida del resto del edificio y que las bóvedas tenían grandes cuarteaduras, ocasionadas por el desplome de las torres; lo cual se debía a un paso de agua, que según se cree, viene de Tula hasta el pie del Tepeyac. Muy laboriosa fue esta obra y costosa. Para asegurar la nueva construcción, ahondaron los cimientos hasta la siguiente capa de roca, o sea una profundidad de seis a 22 varas, trabajando entre manantiales sulfurosos. Hubo puntos en que se profundizó hasta 30 metros sin hallar terreno firme; y entonces se resolvió clavar pilotes de cedro de diez varas, calzados de hierro galvanizado, hasta donde quedaron sólidamente embutidos; y sobre estas estacas se asentó la parte nueva. La cual ocupa treinta y cuatro metros de longitud por veintiuno de ancho y consta de seis bóvedas, sostenidas por diecinueve arcos, fabricados con piedras de tres varas cúbicas, en número de cinco mil. En la fachada, y en la puerta se abrieron dos laterales, siguiendo el orden de arquitectura.

En las cuatro extremidades de la bóveda del baldaquino hay cuatro estatuas que representan cuatro arcángeles; en las bovedillas los símbolos de las cuatro virtudes cardinales. Todas estas estatuas son de bronce; fueron hechas en Bruselas. En medio del baldaquino está el altar, de blanquísimo mármol de Carrara, obra del escultor romano Carlos Nicolí; y en él se levanta un grandioso marco de oro, donde está colocada la santa Imagen fijo en un grueso eje, que permite volverla por todos lados. Detrás del marco se leen los dísticos, que el Papa León XIII compuso para N. S. de Guadalupe y que dicen así:

En admirable Imagen
¡Oh Santa Madre nuestra!
El pueblo mexicano, gozoso te venera,
Y tu gran patrocinio
Con gozo y gratitud experimenta,
Feliz y floreciente
Por Ti así permanezca,
Y mediante el auxilio
Que benigna le prestas
La fe de Jesucristo
Inmutable conserve con firmeza.

A uno y a otro lado del altar se ven dos estatuas de mármol en actitud de adoración: de un lado Fray Juan de Zumarraga y del otro lado Juan Diego.

La corona que en nombre y con autoridad de León XIII impuso a la Santísima Virgen el Arzobispo de México D. Próspero María Alarcón, en 12 de octubre de 1895, es una obra artística famosa, como se merece nuestra Madre y el amor de sus hijos quiere que sea.

En principio se quiso que el oro, plata, y piedras preciosas fuese una expresión de amor, y regalos de las damas mexicanas; y que representase con figuras alegóricas a la Iglesia mexicana en sus diócesis, significando la esperanza que abriga la nación entera de ser perennemente amparada por su Patrona, Reina y Madre. Las damas mexicanas ofrecieron sus joyas; piedras preciosas de diversas clases y tamaños, que pasaron de mil. Y los plateros mexicanos y extranjeros presentaron sus diseños a escoger.

El Pbro. Plancarte y Labastida marchó a París, llevando un croquis dibujado por el pintor D. Salomé Piña, y propuso su plan al joyero de más renombre mundial, Edgar Morgan, de la Rue de la Paix, quien respondió: "Nunca jamás en mi vida he pensado que pudiera caberme el honor de labrar una corona a la Madre de Dios. Agradezco a usted este favor y pondré todo empeño en la obra, para que la Nación Mexicana, que es la que ofrece la corona, no quede descontenta de mi trabajo".

Al cabo de dos años la entregó, tiene un alto de sesenta y dos centímetros, la circunferencia de la diadema es de noventa y cuatro centímetros y en total mide un metro y treinta centímetros.

El mismo artífice la describe de esta manera:

La corona real, simbólica, se compone de cuatro partes.

1) *La diadema o base, en lo exterior, está formada por 22 medallones, donde están pintados sobre oro, y con esmalte de Lomoges, ramos de rosas, todas diversas: abajo de ellas, en letras esmaltadas, se leen los nombres de 22 obispados (los que había entonces). Arriba de ellos hay cincuenta y dos estrellas, formadas con diamantes, y entre los medallones hay engastadas unas hermosas esmeraldas... En la parte plana o inferior de la diadema, es decir, en lo ancho, o espesor, se cuentan veintidós ángeles de relieve, cincelados y esmaltados, alternando con estrellas y otros adornos de diamantes.*

2) El cuerpo, o sea lo que descansa sobre la base o diadema, está formado de seis escudos, que son los escudos de los arzobispados, y de seis ángeles que representan las seis provincias eclesiásticas de México...

3) La cúpula se forma de dos secciones: seis fajas verticales de rosas de oro de distintos colores y seis de estrellas de diamantes: los distintos colores de las rosas de oro provienen de las diversas minas de donde se tomó, por ejemplo, minas de California, de Zacatecas, de Potosí y otras... siendo las rosas de tanta cantidad no hay una que se parezca a la otra... las hay desde el botón, hasta su completo desarrollo.

Siete estrellas formadas de brillantes componen cada una de las seis fajas que corresponden a la parte superior de los ángeles. La magnitud y tamaño de las estrellas es proporcional a la curva de la cúpula...

4) El Remate está compuesto de una moldura circular que forma

un conjunto de hojas cinceladas, llenas de diamantes, rubíes y zafiros engastados. Sobre esta moldura descansa esmaltado el globo terráqueo, donde se ve América Latina y en particular México.

De un punto cercano al lugar que ocupa nuestro país, se levanta una cruz adornada de diamantes sobre las alas abiertas del águila mexicana.

Sobre el marco de la Virgen hay siempre una réplica de la corona que se le colocó en 1895.

El 12 de octubre de 1945 fue dada a la Santísima Virgen otra corona, porque el Papa Pío XII la proclamó Emperatriz de América en esa fecha. Esta corona fue hecha en la ciudad de México por dieciocho artistas quienes trabajaron bajo la dirección de un famoso orfebre. Contiene muchas perlas y piedras preciosas, el oro y las joyas fueron donados por el pueblo de México.

Hay otras coronas donadas por los trabajadores, por el pueblo de México, los orfebres, en plata y en oro.

Todas éstas son pruebas de amor de México a su "Reina".

La Colegiata de Guadalupe es elevada al rango de Basílica

Las iglesias tienen un rango, en primer lugar, está la Basílica de San Pedro en Roma; le sigue San Juan de Letrán, antigua sede Papal. Y el 9 de febrero de 1904. Pío X elevó a Basílica la Real Colegiata de Guadalupe.

El 24 de mayo de 1904, fue elevada a Basílica por el mismo Sr. Arzobispo con asistencia del Delegado Apostólico Ridolfi y de muchos Arzobispos y Obispos mexicanos.

Nueva Ampliación de la Basílica, en el 4° Centenario de las Apariciones

En 1929 se inició la grandiosa empresa de ampliación y suntuosidad de la Basílica de Guadalupe. El 2 de mayo de 1930 se inició la colecta en todo el país para reunir los fondos necesarios y transformar la Basílica.

El recinto quedará agrandado con nueve bóvedas, se calcula que con tal ampliación habrá capacidad para tres mil personas más.

En 1931 se decoró con magnificencia la Basílica, todo eso fue para conmemorar el 4º Centenario de las Apariciones de la Santísima Virgen de Guadalupe.

Se convirtió en el templo Mariano más ricamente decorado de América Latina, tan hermosa obra se debe al profundo y gran amor de los mexicanos por su Madre, por esto mismo a través de los siglos se ha construido y transformado este Templo con empeño, esfuerzo y entusiasmo, cuyo origen remonta al amanecer de nuestra patria; testigo al par que prenda de eterno agradecimiento por los maravillosos y celestes dones alcanzados por intercesión de nuestra Madre Santísima de Guadalupe.

Todo ello nos hace recordar con nostalgia y cariño a nuestros abuelos y padres que de su boca y emoción nos enseñaron el "Gran prodigio Guadalupano".

Verdaderamente los decretos, distinciones y privilegios que la Santa Sede ha otorgado a Nuestra Madre del Tepeyac, desde sus comienzos hasta el presente, confirma nuestra creencia que esta Imagen es el portento Mariano más sublime que tal vez haya acontecido desde los tiempos Apostólicos.

La Nueva Basílica de Guadalupe

Construida hace más de 400 años, la Insigne y Nacional Basílica de Nuestra Señora de Guadalupe resultaba insuficiente para recibir a los miles de fieles de nuestra patria y del extranjero, que acuden a rendir homenaje a la patrona del Tepeyac. Por ello y por el deterioro irreparable, impuesto por el tiempo es indispensable la construcción de una nueva Basílica.

1974, 12 de diciembre, se coloca la primera piedra de la nueva Basílica.

1976, 11 de octubre. Dedicación de la nueva Basílica de Santa María de Guadalupe presidida por el Arzobispo Primado de México, Card. D. Miguel Darío Miranda.

El 12 de octubre de 1976, el Arzobispo Primado recibe las llaves de la nueva Basílica de manos del Ingeniero y Arquitecto. En solemne procesión es trasladada la Imagen de Nuestra Señora de Guadalupe en medio de la multitud que colma tanto la antigua Basílica como la plaza de las Américas y el amplísimo recinto de la nueva Basílica. Asiste el Episcopado Nacional en pleno y concelebran la Eucaristía.

La nueva Basílica, aportación de nuestra época a la petición de la Guadalupana que le edificáramos un templo, donde se pudiera manifestar su amor, socorro y auxilio. No quiso que su visita fuera fugaz, sino permanente. La presencia de María nos quiere conducir amorosamente a su Hijo y nos invita a vivir en gracia, en comunión y amistad con él.

Toda la estructura de la nueva Basílica parte de las orientaciones del Vaticano II, referente a la reforma y renovación litúrgica, por lo tanto tiene las siguientes características:

1. El centro es el altar. Todos los que llenan la Básilica en su magnitud, pueden apreciar, ver y seguir lo que ahí se celebra. Hay que hacer notar que el altar es nuevo y está hecho de cantera del cerrito del Tepeyac, donde la Virgen se apareció, y tiene reliquias del segundo mártir mexicano: Beato Miguel Agustín Pro. Ya que san Felipe de Jesús, el primer mártir, fue martirizado en Japón y por lo tanto no se tienen reliquias.

2. También tienen cantera del cerrito el ambón y la Sede.

3. La Eucaristía, que se celebra continuamente, lo hace sin menoscabo de la continua e ininterrumpida afluencia de peregrinos, ya que éstos disponen de un amplio espacio de circulación que les permite aproximarse a la Imagen de la Virgen de Guadalupe, la cual está colocada atrás del altar, sin interferir en ninguna celebración.

4. El Sagrario se encuentra en la Capilla, del lado izquierdo de la Básilica y lo anuncia una enorme lámpara roja.

5. La Reina de México y Emperatriz de América se encuentra en lo alto, para que toda la gente que la visite la pueda ver. Mientras que La Cruz gloriosa que sostiene la Basílica está hecha de madera de Canadá.

A sus pies tiene 4 pasillos con deslizamiento eléctrico para que los peregrinos "pasen" a verla y orar. Es normal que así sea, pues las multitudes se quedarían estacionadas contemplándola, y somos muchos sus hijos y todos queremos estar con ella.

Este espacio últimamente ha sido embellecido con las "Palabras de la Virgen" que se han colocado en hermosas placas. Y que sirven para orar y comprometernos, pues esas palabras están dirigidas a nosotros.

6. La Virgen, en los días solemnes y especialmente el 12 de diciembre, tiene a sus pies la bandera mexicana y a su derecha las otras banderas de América Latina de la que es emperatriz.

7. La Basílica no tiene columnas, para que desde cualquier lugar, cercano o lejano, se pueda ver y seguir la Celebración Eucaristíca y contemplar a la "Morenita".

Y como se anotó anteriormente, es una Imagen sin perspectiva: desde cualquier lugar que se le ve aparece del mismo tamaño, incluso vista desde el atrio.

8. Del techo penden unas grandes y artísticas lámparas que iluminan el altar, la Imagen de la Virgen y el amplio presbiterio.

9. En el lado derecho de la Basílica está la Capilla de san José. Y a un lado de la Virgen, a su izquierda, se encuentra el órgano con sus 12 000 flautas, es el segundo en magnitud de la fábrica que lo hizo, en Canadá.

10. La nueva Basílica cuenta, entre otras cosas, con las siguientes ventajas:

—Es funcional.

—Está al servicio de la asamblea.

—Tiene gran facilidad de acceso.

—Los fieles circulan normalmente, como en su casa.

—Facilita la circulación extraordinaria de peregrinaciones.

—Integración al contexto arquitectónico existente.

11. En su interior:

—Sus cimientos tienen 30 metros de profundidad.

—Tiene cupo para 10,000 personas.

—Es redonda, abarca el mundo entero en su misión evangelizadora y mariana por su compromiso y oración.

—El techo es de madera canadiense y simboliza el manto de la Virgen que nos cubre a todos.

12. Para la nueva Basílica se han considerado tanto los requerimientos generales de las actuales normas litúrgicas, como aquellas particulares de la basílica. Así por ejemplo, además de procurarse la unidad de la asamblea, se encontró una solución eficaz para la realización simultánea de diversos actos sin interferir con la Celebración principal, mediante la construcción de capillas de fácil acceso, en número de 9 y con su cupo en su totalidad de 2500 personas, situadas en un segundo nivel, las que a la vez permiten a la concurrencia incorporarse visualmente a la Celebración del altar principal.

13. La basílica tiene como remate o corona una M de María y de México, que sostiene la cruz gloriosa del Resucitado.

14. La parte exterior, el atrio, cuenta con:

—Una capilla abierta para celebraciones en el exterior por medio de un balcón amplio y central, que cuando en el interior no hay lugar, acoge las numerosas peregrinaciones, pues tiene cupo para 45,000 personas.

15. En el atrio se encuentra una Imagen de bulto de la Guadalupana, donde los peregrinos ponen y encienden sus veladoras. Ahí es el lugar apropiado, al aire libre.

16. También en el exterior se encuentran dos letreros que señalan lo siguiente:

—"Bajo un árbol como este cazahuate fue donde Nuestra Señora esperó a Juan Diego".

—"En las inmediaciones de este lugar estuvo por algunos años el árbol del cazahuate donde Nuestra Señora esperó a Juan Diego con las rosas del milagro y donde ella las tocó".

17. El Papa Juan Pablo II, en su primera salida de Roma en 1979, visita México. Vino como peregrino a la Basílica, y percibe en el fondo de su corazón los vínculos particulares que unen a "La Morenita", como afectuosamente la llamamos, con el pueblo mexicano, y el Papa la saluda con amor: *"Salve, Madre de México, Madre de América Latina"*.

Como recuerdo agradecido de esta visita se levantó en el atrio una gran estatua del Papa, en bronce.

La Ofrenda

18. La Ofrenda de los mexicanos a su Reina consiste en :

—Embellecimiento de la parte posterior, atrás de la Iglesia del pocito, con jardines y hermosas cascadas que caen del cerro del Tepeyac.

—Hay varias calzadas de acceso a la Ofrenda, en los que se encuentran vitrales de los misterios del rosario y, para llegar a la Ofrenda, se encuentran dos fuentes de forma rectangular, una a cada lado de la calzada.

—Las cascadas más grandes caen hacia la ofrenda, las otras desembocan en una fuente de tres niveles, de las cuales la última se encuentra abajo de la ofrenda.

—La Ofrenda, en sí, consiste en varios indígenas, hombres, mujeres, y niños con sus vestimentas y ofrendas típicas que llevan a la Virgen; está también entre ellos un fraile franciscano, su presencia es evocadora de los grandes misioneros entre los que se cuenta Motolinía y otros...

Todos ellos están artísticamente realizados, incluso en los más pequeños detalles, y de tamaño más grande que una persona alta y fornida.

—La Virgen hermosa, resalta en toda la obra.

—Al lado izquierdo de la Ofrenta está en gran tamaño, y muy hermosamente realizada, también de hierro y bronce, la figura de Juan Bernardino, en su petate con los dos jarros, su plato con hier-bas y té de limón, tal cuál aún se usa en nuestros pueblos.

—Y atrás de Juan Bernardino, se encuentra un grande y bello libro de metal y bronce decorado, que dice lo siguiente:

Juan Bernardino,
tío de Juan Diego,
desde su lecho de enfermo
se integra en la distancia
a la colina del Tepeyac
y en su humilde casa recibe
la visita de María
en su Quinta aparición.
La Virgen realiza su primer milagro
al sanarlo de la enfermedad que padecía.
Y le revela el nombre
con que Ella misma quería ser nombrada:
"La siempre Virgen
Santa María de Guadalupe".

Juan Diego y Juan Bernardino son símbolos de nuestro pueblo sencillo, creyente, generoso...

María de Guadalupe viene a proclamar nuestra vocación a la fe. ella, como Madre, quiere estar cerca de nosotros y ayudarnos a responder con fidelidad. Su presencia no es sólo de ayer, es de hoy. Tal es el sentido del templo, de la Imagen lo que constituye el "Acontecimiento Guadalupano".

La Virgen de Guadalupe viene a llamarnos a la fe, y a proclamar la Buena Nueva de salvación y quiere un templo para que nuestra respuesta se exprese y viva en comunidad. Que se refuercen los lazos de fraternidad y comunión entre sus hijos, piedras vivas de la Iglesia.

"También ustedes, cual piedras vivas, entren en la construcción de un edificio espiritual..." (1Pe 2,5). El mensaje del Tepeyac nos invita: a la comunión con el verdadero Dios y a la construcción de la comunidad en la fe, el amor, la paz, el compromiso y la justicia.

La madre de Jesucristo desea hacer de esta tierra su templo, su casa, su hogar, donde pueda ser madre de todos los que buscan remediar su miseria, su pobreza, sus penas, su llanto, su dolor.

Y el pueblo mexicano la ama tanto, que como dice la canción: *"cada corazón es un altar levantado en su honor"*. Ojalá sea realidad en la vida diaria.

Carillón Electrónico

El atrio "Plaza de las Américas", que reúne a muchos miles de peregrinos, llegados de muy lejos para testimoniar su adhesión a la hermosa Señora "de sobre humana grandeza", que quiso quedarse en el Tepeyac.

Desde que se abrió la monumental plaza, han continuado embelleciéndola, sobre todo en torno a las dos visitas del más ilustre de los peregrinos, el Papa Juan Pablo II. En la tarde del domingo 6 de mayo de 1990 bendijo desde la distancia la estructura de un Carillón, que se inauguró en el mediodía del sábado 21 de septiembre de 1991. Cuando empezará a colmar los grandes espacios del atrio con sus impresionantes melodías y actividad, una rueda con diez campanas y una torre con 38, electrónicamente programadas para ejecutar un centenar de melodías escogidas.

Llorenc Barber va por el mundo coordinando sonidos melódicos de viejos campanarios, logrando bellísimos conciertos, con sus bronces bien coordinados. Algo que busca ser el Carillón de la Villa para convocar a los peregrinos, invitarlos a las celebraciones litúrgicas, contagiando a todos con el emocionado júbilo de acercamiento a lo divino.

De alguna manera reproducirá los sentimientos de Juan Diego, cuando lo invitaban al encuentro con María en la cumbre del Tepeyac: "Oye cantar arriba del cerrillo; semejaba cantos de varios pájaros preciosos. Callaban a ratos las voces de los cantores y parecía que el monte les respondía; su canto era muy suave y deleitoso" (Nican Mopohua 10).

La principal belleza de este majestuoso Carillón es la electrónica. Es un cerebro computarizado, 99 melodías de corte popular y sabor mexicano (canciones de Cri-Cri, himnos guadalupanos, Ave Marías clásicas, y canciones del pueblo) llenan con sereno júbilo la gigantesca explanada del atrio.

Las computadoras mueven ordenadamente sus cuatro relojes, que enlazan el tiempo actual con el momento de las apariciones, en 1531. El reloj astronómico o "Astrolabio", que describe la interrelación cambiante de los astros, del sol, la luna y las estrellas con que quiso revestirse la Imagen Guadalupana. El bien diseñado reloj del sol, por medio de un gnomo, señala con su sombra la hora solar y hasta la fecha del año, por la longitud de esta sombra. Y el reloj o calendario Azteca, que marca la sucesión de las estaciones, con sus 18 meses de 20 días cada uno, utilizando elementos de la Piedra del Sol (Museo de Antropología) y de antiguos códices aztecas.

El atractivo cumbre de todo el Carillón es quizá la escenificación móvil y animada de las apariciones Guadalupanas, realizada con hermosas figuras de la Virgen, de Juan Diego y otros personajes. En tamaño casi natural y con la bella plasticidad de movimientos y sonidos accionados por las computadoras, presentan a través de una ventana o escenario central, cada una de las Apariciones, dialogadas según el texto del *Nican Mopohua.*

Es una magnifica catequesis, que ha de constituir el embeleso de las muchedumbres, que diariamente verán las escenificaciones; se podrán contemplar a las 9 de la mañana, a las 13 y a las 18 horas. Con más frecuencia los domingos o según el programa de grandes peregrinaciones que se reúnan en el Atrio.

Tan monumental obra fue realizada por la Casa de prestigio mundial Royal Eijbaus de Holanda, sobre diseño el arquitecto de proyección internacional Pedro Ramírez Vázquez asesorado por fray Gabriel Chávez de la Mora y bajo el impulso dinámico y alentador de M. Guillermo Shulemburg, Abad de la Basílica.

Nos llena de alegría, que los últimos avances de la electrónica holandesa, sean un homenaje a María y para solaz de los millones de peregrinos que acuden cada año a visitar y alegrarse cerquita de su Madre.

Reflexión, trabajos, compromisos

1) ¿Qué significado tenía el Tepeyac en el tiempo de las apariciones?
2) La Iglesia, templo, signo de la presencia, elección y comunicación con Dios, ¿como lo quiere promover María?
3) Referente a la Iglesia, lee, reflexiona o resume lo siguiente: Sal 42, 3; 48, 10; 65, 5; 84; 122; Ex 25, 1-9, 40.
4) ¿Qué significa ser Iglesia?
5) ¿Qué es para ti la Iglesia y qué compromisos despierta en tu vida?

6) ¿Qué entiendes en la frase: "María es figura de la Iglesia"?
7) Referente al templo cada generación ha respondido a la medida de sus posibilidades, ahora, ¿qué nos toca hacer?
8) Explica esto: "Todos somos artesanos de este Templo en cada momento histórico".
9) La Celebración Eucaristica, los sacramentos y la oración, ¿como repercuten en tu vida?
10) ¿En qué notamos la presencia de Nuestra Señora de Guadalupe en nuestra vida y familia?
11) ¿Qué significa ser guadalupano hoy?
12) ¿Cuál es tu respuesta personal y familiar a los deseos de la Virgen?
13) Es indispensable verificar si estamos viviendo nuestra fe en su dimensión eclesial:
    a) ¿Nos abrimos a la Palabra de Dios y a la acción del Espíritu Santo?
    b) ¿Participamos en la Celebración Eucarística y en la Comunión?
    c) ¿Compartimos como hermanos lo que tenemos?
    d) ¿Oramos en familia?
    e) ¿Luchamos por el progreso y la justicia?
14) En grupo Visita al Santísimo.

LAS PEREGRINACIONES

Empezaron el día mismo en que los pueblos del Valle de México, entre júbilos de gloria, trasladaron la celestial Imagen a su "primera ermita". Al punto, agrupándose sin cesar ante el altar de la Guadalupana, se fue formando bajo su manto la Iglesia, y logró consolidarse la nacionalidad mexicana.

En efecto, ansioso de cumplir la voluntad del cielo, tan pronto como Juan Diego señaló él sitio de la Aparición, determinó el obispo Zumárraga que allí se levantara la ermita. Pasados quince días en que guardó la Imagen primero en su oratorio y luego en la Iglesia Mayor, la trasladó en solemnísima procesión, como lo contaron después de un siglo los viejos de Cuauhtitlán y como lo narra el cuadro conmemorativo que existe en el Museo de la Basílica de Guadalupe. Se pregonó tal portento en la plaza al son de trompetas y atabales. Todos los de México y de los pueblos circunvecinos acudieron a la procesión. Entonces aconteció el primer milagro: a los conductores y acompañantes de la Imagen, en marcha por la calzada, seguían por la laguna numerosos indios en canoas, mostrando su alborozo con bélicos escarceos. Una flecha disparada, al azar hirió a un pobre macehual; le atravesó el cuello y le dejó sin vida. Su afligida familia lo llevó ante la Sagrada Imagen; y orando por él todos lo vieron alzarse enteramente sano.

También se conserva el cuadro que representa la procesión de niños y niñas de seis a siete años, dispuesta en 1544 por los religiosos franciscanos, para implorar la cesación del *cocoliztli,* que en breves días se había llevado más de doce mil indios. Desde Tlatelolco marcharon haciendo penitencia los niños hasta el Tepeyac, donde oraron ante la Santa Imagen, con tan feliz éxito, que al día siguiente no pasaron ya de dos las defunciones por la enfermedad, que habían sido ordinariamente de cien.

En todas la peregrinaciones que continuamente se hacían, los guerreros aztecas, ricamente ataviados, gritaban con entusiasmo: "*Cihuapilli Tonantzin*" (Noble indita, noble indita nuestra Madre).

Desde el Tepeyac acabó la Virgen con la idolatría, los sacrificios, la poligamia, e hizo de sus indios una de las más impresionantes transformaciones o conversiones en masa en todo lo largo de la historia y lo ancho de la geografía cristiana. Motolinía llega a afirmar que desde 1531, año de las apariciones, hasta 1536, se llegaron a bautizar y convertir "cerca de ocho millones" cifra increíble e imposible, de no mediar la Virgen de Guadalupe, que hablaba al corazón de los nativos y les movía a presentarse en hileras interminables que los misioneros no sabían cómo atender.

Desde entonces han transcurrido 460 años en los que ni un solo momento ha dejado de latir el corazón de México, desde el lugar que la Señora escogió para su trono. Sólo salió de allí cuando el pueblo triste y oprimido por pestes, guerras o inundaciones, la llevaba a la Catedral como en la gran tragedia de 1626.

El día 25 de septiembre de 1629 el pueblo de Guadalupe resintió una de las más lamentables inundaciones. Por lo cual fue trasladada en canoa la Imagen de la Virgen a Catedral.

Y el 14 de mayo de 1634, en otra solemne procesión fue conducida la Imagen de nuestra Señora de Guadalupe de Catedral a su Santuario.

Además de las continuas fiestas y peregrinaciones que se celebran en la Basílica de Nuestra Señora de Guadalupe, particularmente en los meses de mayo, octubre y diciembre, merecen especial mención las siguientes:

a) El primer centenarío de las apariciones, en 1631, estaba la ciudad de México sufriendo las consecuencias de la gran inundación comenzada en 1629 y pasó el centenario sin solemnidad.

b) El segundo centenario se celebró con gran solemnidad. Todos adornaron e iluminaron sus casas y hubo gran fiesta.

c) En el tercer centenario, ya con anterioridad el Ayuntamiento y el Cabildo se organizaron para festejarlo. Se acordó trasladar la Imagen de la Colegiata a la I Catedral. El día señalado la traslación de la Sagrada Imagen no se pudo llevar a cabo porque el Cabildo de la Colegiata se negó rotundamente. Pero fue mejor: la Virgen se quedó en casa, en el Tepeyac, y todo se celebró con la mayor solemnidad y alegría de todos.

d) El cuarto centenario fue el 12 de diciembre de 1931. A iniciativa del Señor Arzobispo de México, D. Pascual Diaz, se preparó un programa verdaderamente grandioso para celebrar este acontecimiento, invitando para ello a todos los Prelados de América Latina, ya que la Virgen de Guadalupe había sido proclamada Patrona celestial de toda Latinoámerica; pero como en 1926 se desató la persecución más terrible que ha sufrido la Iglesia de México, se tuvo que celebrar modestamente.

El Papa Pío XI invitó de una manera especial a los mexicanos para celebrar dicho centenario en la misma Roma. Y así se hizo el 12 de diciembre de 1933 con solemnidad extraordinaria, pues el acto tuvo lugar en la misma Básilica de San Pedro, colocándose una hermosa Imagen de la Virgen de Guadalupe en el altar mayor y el Arzobispo de Guadalajara, D. Francisco Orozco y Jiménez, celebró la misa en el altar en que de ordinario celebraba el Papa; en la tarde fue llevada en procesión la Imagen de la Virgen por las calles de Roma, y se hizo una iluminación nocturna extraordinaria en la Basílica de San Pedro.

Los días 25 y 26 de mayo de 1737 se celebró en forma entusiasta la promulgación del "Patronato Guadalupano", y en la procesión los indios, al paso de la Virgen, regaban flores y la aclamaban diciendo: "La Virgen es de nosotros los indios".

En 1888 fue una de las varias veces que la Imagen de Nuestra Señora fue trasladada, para que se comenzaran las obras en la Colegiata.

Grandes fueron también las fiestas celebradas con motivo de la Coronación de la Imagen de Nuestra Señora, que tuvo lugar el 12 de octubre de 1895.

Es conmovedor sentir en el alma del pueblo la riqueza espiritual desbordante de fe, esperanza y amor. En este sentido México es un ejemplo, y comparte esta fe en su sublime vocación misionera, más allá de sus fronteras.

En los jóvenes, el amor filial a María Santísima los une a Cristo y los hace solidarios con sus hermanos a fin de construir la civilización del amor y edificar la paz en la justicia.

María Madre despierta el corazón filial que duerme en cada persona. Y nos lleva a desarrollar la vida del bautismo por el cual fuimos hechos hijos. Simultáneamente ese carisma maternal hace crecer en nosotros la fraternidad.

Millones de amantes hijos, en más de cuatro siglos y medio, han venido de muy lejos a expresar su fe y amor a la Evangelizadora y Madre de México, cortejo de generaciones que siempre la llaman "Bienaventurada".

Siempre numerosas, creciendo siempre, las peregrinaciones se multiplican, por todos los medios de comunicación, ya sean personales, familiares, sindicales, escolares, etc. De toda clase de personas, instituciones, estados, provincias, que se encaminan a la Basílica, para estar a los pies de la Madre. Todos estos y mayores sacrificios se compensan con una sola mirada de nuestra Madre. Y todos en unánime grito entusiasta exclamamos: "Salve, Madre y Reina de México". "Ante tu excelso trono de amor y misericordia renovamos la fe, el amor, el compromiso por la justicia y la fraternidad, y como nuestros antepasados te aclamamos: Evangelizadora, Madre y Reina de todos los mexicanos y de América Latina. Te consagramos nuestra vida, familia, deseos y proyectos. Contigo, Madre, todo es felicidad".

Toda peregrinación es un acto de fe, esperanza y amor, es conversar en el camino con María, y proclamar el amor que le tenemos.

Es una camino hacia Dios por los senderos del mundo, es testimonio viviente del pueblo que camina junto a Cristo a la casa del Padre.

Si Dios y la Virgen se manifiestan, es normal que los cristianos se dirijan hacia los lugares de la manifestación de Dios.

Peregrinaciones de camiones cargueros, camiones de pasajeros, combis, autobuses, etc. En este rincón de la capital azteca, día a día peregrinan a la Basílica del Tepeyac un promedio de 30 000 personas, que se postran de hinojos ante la Guadalupana. Llegan anualmente 2000 peregrinaciones organizadas, sin contar las no organizadas que sin previo aviso se presentan en la Basílica, y más o menos son 30 millones de peregrinos que visitan cada año a la Virgen del Tepeyac.

El amor a la Virgen de Guadalupe, iniciado en 1531, está tan arraigado en la historia de México que se identifica con todo buen mexicano.

Tanto la Basílica de Santa María de Guadalupe como sus respectivos Santuarios erigidos en cada una de las diócesis de México son centros de numerosas peregrinaciones. A ellos acuden la mayoría de los mexicanos, sin distinción de clase social.

Peregrinaciones en la Biblia

La Biblia, en especial los Salmos, nos hablan de peregrinación. El Salmo 121 es un canto de peregrinación. Se trata de una de las peregrinaciones anuales para la Pascua, cuando Israel converge hacia el Templo.

—Los dos primeros versos recogen los dos momentos capitales; cuando el peregrino se pone en camino: "vamos" y cuando pisa los umbrales de la ciudad santa.

—La segunda estrofa canta la gloria de la ciudad bien fundada (se entiende por Dios), centro espiritual de todo el pueblo y lugar de culto: "las tribus del Señor", "celebrar el nombre del Señor". Centro religioso.

También la Basílica, con la presencia de María, que se quiso quedar con nosotros, es centro y corazón no sólo del Distrito Federal, sino de todo México y América Latina. Está bien fundada por la petición y querer de nuestra Madre, Señora y Niña nuestra.

—Los peregrinos pronuncian sus bendiciones sobre la ciudad. Le desean todos los bienes, sobre todo la síntesis de los bienes, que es la paz.

Los peregrinos de la Basílica también vienen pidiendo todos los bienes y deseándolos para cada mexicano, principalmente la paz y el amor.

Y piden que el amor a Santa María de Guadalupe, siempre esté vivo y palpitante en su pueblo, y que se proyecte en el compromiso de justicia, solidaridad, fraternidad, ya que esto nos traerá la paz personal y comunitaria.

Sal 83, 2-4: *¡Qué deseables son tus moradas, Señor de los Ejércitos! Mi alma se consume y anhela los atrios del Señor...*

—El salmista comienza expresando su nostalgia y su ansia por llegar al templo. El templo es morada de Dios y refugio del hombre sin morada...

La Basílica, casita pedida por la Madre, es la casa de todos. Y cada mexicano, por lejos que esté, siente nostalgia de venir a su casa. La Basílica a su vez nos espera con cariño a todos...

Sal 83, 5-6: *Dichosos los que viven en tu casa alabándote siempre.*

Unos viven siempre en el templo: los sacerdotes dedicados al culto y el personal de la Basílica, para la atención de los peregrinos y la limpieza.

¡Ojalá éstos alaben siempre a Dios, con el corazón fiel, despierto, atento! Que no caigan en la rutina, el activismo, la precipitación y la poca atención al hermano que llega. ¡Qué sean conscientes de tan grande gracia de estar cerquita de la Guadalapana!

"Dichosos los que encuentran en ti su fuerza, al preparar su peregrinación".

Otros son dichosos porque pueden preparar su peregrinación, Dios mismo les da la ayuda y la fuerza para iniciarla y él mismo los atrae y conduce.

Sal 23, 3-4: *¿Quién puede entrar en el recinto sacro?*

Al entrar en la puerta pregunta la peregrinación las condiciones para entrar en el templo. Responde un sacerdote resumiendo en dos condiciones positivas y dos negativas la preparación para la acción cúltica:

El hombre de manos inocentes y puro corazón.

Que no confió en los ídolos ni jura contra el prójimo en falso. Este es el grupo que busca al Señor, que viene a tu presencia, Dios de Jacob.

El venir a la Basílica nos compromete:

A desechar toda impureza en nuestra vida (divorcio, prostitución, infidelidad). A ser rectos en nuestros trabajos, negocios. A desechar toda idolatría: sea materialismo, orgullo, soberbia, consumismo, etc. Y nos compromete a vivir la verdad, la sinceridad.

Se llega a la puerta del santuario y se pide entrada. Los clérigos que la reciben exponen las condiciones: "triunfo-vencedores". También podría traducirse: "justicia-justos".

También a las puertas de la Basílica esperamos que los sacerdotes introduzcan la peregrinación, y además tenemos la condición para entrar: "triunfo-vencedores". Cristo triunfó de la muerte y del pecado con su Resurrección. Y la victoria de Cristo debe ser también nuestra. Para así tener el derecho de entrar por la puerta de los vencedores, para dar gracias a Dios, y poder postrarnos a los pies de nuestra Madre y Reina.

Sal 83,11: *Vale más un día en tus atrios que mil en mi casa, y prefiero el umbral de la casa de Dios a vivir con los malvados.*

La presencia de la Virgen confiere un valor incomparable a la Basílica, sitio de oración, evangelización, conversión y fratemidad.

Sal 99: *El servicio del Señor consiste sobre todo en el culto. Este servicio no es esclavitud, y se debe ofrecer con alegría, música, canto, peregrinación, que son expresión de esta actitud interna de servicio. El pueblo existe como "pueblo de Dios" y esto es motivo para dar gracias.*

Esto lo vivimos muy especialmente en las peregrinaciones a la Basílica, donde el pueblo desborda su alegría con cantos, danzas cohetes, por encontrarse con la "Morenita", la "Madre", quien lo impulsa a una entrega gozosa en la vida al servicio de los hermanos.

Sal 114, 9: *Caminaré en la presencia del Señor, en el país de la vida.*

Caminar delante del Señor es el proceder fiel de toda persona que visita la Basílica; vivir el amor de Dios, su presencia, y caminar según su voluntad en la aceptación y acción de gracias. "En el país de la vida", librado de la muerte del pecado, está en el camino de una "vida nueva".

Orientaciones para la peregrinación

1. La peregrinación siempre debe estar acompañada sea de un sacerdote, diácono, ministro, catequista, etc., quien la motiva. Al iniciarla le da su sentido teológico, pastoral, festivo, y durante el recorrido dirige, o forma equipos para la oración, los cantos, las porras, el descanso, etc.

Al iniciar pueden hacer la oración siguiente:

Señor, que has hecho caminar a los hijos de Israel en medio del mar, por un sendero ancho y seguro, y por medio de una estrella has indicado a los magos el camino que conduce a ti, concédenos en nuestro peregrinar un tiempo feliz, protégenos y danos una actitud de fe, amor y servicio, a fin de que alabando y glorificando a tu Madre, Santa María de Guadalupe, nos ayude ella para hacer lo que tú quieres de nosotros en nuestra vida, familia y... (parroquia, estado, pueblo, etc.) Amén.

2. Se prepara con anterioridad la Eucaristía: cantos, ofrendas, lecturas, peticiones, moniciones, etc.

Y muy especialmente el encuentro con la Virgen: cantos, poesías, ofrendas, etc.

3. Previa a la peregrinación es el conocimiento de las apariciones y la emisión del mensaje guadalupano por medio de proyecciones, videos, folletos, el *Nican Mopohua,* etc.

4. Se motiva a la conversión, sanación interior (perdón, relaciones, etc.), y se prepara a recibir el Sacramento de la Reconciliación, por medio de encuentros personales y celebraciones penitenciales, adaptadas al grupo peregrinante.

5. Se celebra la Eucaristía y posteriormente se tiene una convivencia.

Ofrendas: La religiosidad popular de México está constituida por el *huentli:* ofrenda, sacrificio, regalo, don. Y la ofrenda puede ser desde una flor, hasta la persona misma que ingresa al templo de rodillas o que danza infatigablemente en el atrio.

La ofrenda encierra este gran sentido: es dar de lo recibido, devolver a Dios lo que se ha recibido de él. El indígena sabe que dar no es perder sino poseer mejor las cosas, se esfuerza por dar, a su entender, lo mejor a Dios. Su preocupación es lograr ofrecer una excelente ofrenda. La Biblia nos dice, respecto a la ofrenda:

Frutos y crías: Gén 4,1-7.
Telas y dones: Éx 35,20-36.
Diezmo y ofrenda: Mi 3,6-12.
Agua y pan: Mt 25,3146.
Flores y perfumes: Lc 14,3.
Trabajo: Hch 20,32-38.
Ayuda: 2 Cor 9,1-15.
Diezmos: Gén 14,17-24.
La vida: Is 6,1-8.
Dinero: Mc 12,41-44.
Bienes: Lc 8, 1-8.

Misión: Mt 28,16-20.
Caridad: 2 Cor 8,1-15.
Riqueza: 1 Tit 3,13-14.
Joyas: 1 Cro 29,1-19.
Perfumes: Mt 26,6-13.
Trabajo: Mt 26,1-30.
Entusiasmo: Lc 24,13-35.
Bienes: Lc 19,1-9.
Servicio: 2 Cor 8,16-24 y
Hch: St 2,14-26.

El *Canto*: En la simbología indígena, a los antiguos habitantes, o nuestros mayores, no les gustaba decir las cosas muy secas; por ejemplo evitaban palabras como razón, ciencia, filosofía. Y para significar esto mismo usaban otras palabras más bellas, más sencillas y más fáciles. Así, cuando querían decir: casa donde se estudian todas las verdades, mejor decían la*casa del canto*. Igualmente, en vez de decir *la verdad* o *la filosofía,* hablaban de *"flor y canto"*.

Para ellos la flor y el canto significaban la verdad, la última explicación que le podemos encontrar a todas las cosas. La flor y el canto son el lenguaje de la tradición de nuestros antepasados que estaba toda puesta en cantos; y cuando cantaban también danzaban.

Según la lógica indígena el canto, junto con las flores, es el lenguaje en el que se establece el diálogo entre la divinidad y los hombres, el que pone a la persona en posibilidad de decir "palabras verdaderas", lo único verdadero en la tierra porque proviene de lo que está por encima de nosotros: el más allá.

La música va con el canto, los instrumentos musicales acompañan al canto. El violín es instrumento de intermediación, suple a la flauta, que representa al aire, imita a los pájaros. La guitarra simboliza a la tierra, suple a los instrumentos de percusión, representa al *teponaxtle* (tambor). Muchas veces hay tres instrumentos, lo que significa que es una fiesta de intermediación, que esta fiesta es una verdad (flor y canto), para solucionar sus problemas, sus situaciones. Por eso es normal que muchos mexicanos vengan con sus instrumentos en grupo o personalmente a "cantarle a la Virgen".

Danza: Era, efectivamente, en la danza donde se aprendía la tradición, la razón de los mitos y de los ritos. El mito del rito estaba en la danza, ya que las palabras lo cantaban; ahí estaba la sabiduría de nuestros antepasados. En el rito de las fiestas actuales los indígenas dicen: "Dios se enoja si uno no baila". Y es porque así se pierde la verdad de la tradición. Los danzantes existen desde los orígenes guadalupanos. Estar triste no es postura cristiana ni humana; la tristeza hiela los huesos, la angustia seca la vida.

Por eso todo guadalupano afronta la vida con alegría, aborda los problemas, siembra ilusión y emprende las tareas de cada día con optimismo; esto se expresa en la música y la danza.

Tu alma está viva en la pintura,
nosotros los caciques le cantamos
junto al libro grande (la Biblia),
y ante ella diestramente danzamos;
y tu obispo,
nuestro amadísimo padre,
predica allí, en la orilla del lago.

(Cantar mexicano del siglo XVI).

La Virgen Guadalupana, ofrece al hombre de hoy una visión serena y una palabra tranquilizadora: la victoria de la esperanza sobre la angustia, de la comunión sobre la soledad, de la paz sobre la turbación, de la alegría sobre el tedio, de las perspectivas eternas sobre las temporales, de la vida sobre la muerte.

Todo esto se expresa con la danza.

La Flor: La flor, junto con el canto, en la simbología indígena significa la verdad, la belleza, la filosofía, lo que siempre sostiene la razón de las cosas. Incluso ellos, en sus costumbres, tenían y tienen las guirnaldas, que se confeccionan con hierbas verdes (romero, chocolatera) y flores rojas y amarillas. Son "mecates" de pura vida.

Después de ofrecerlas a Dios se ponían alrededor de la lumbre, de las ollas de comida, del barril de pulque. Al donarlas a la Virgen se le relaciona y compromete con la vida.

Simbología de los colores de algunas flores

Rojo: color solar, color de la vida, representa la vida de Dios.

Amarillo: color de la mujer fecunda, fértil, porque la mujer da la vida al hombre.

Azul: color del Sur, significa la vida del hombre.

Verde: simboliza la vida en general, la totalidad de la vida.

La flor, principalmente las rosas, tienen para la Guadalupana gran sentido. Ella transformó la realidad árida, escabrosa, en un jardín de variadas y exquisitas rosas. Así también transforma nuestra realidad y vida. Las flores —las rosas—, son expresión de amor, compromiso, acción de gracias, entrega, gratitud, ofrecimiento, petición, etc. La Virgen Morena y sus hijos se entienden con el lenguaje de las flores.

El Fuego: Para el indígena es la expresión más antigua de Dios. En el hogar el fuego da calor, ilumina, da la vida por el nutriente de los alimentos,... es la síntesis más perfecta de Dios.

Las Velas: La luz (la flama) significa la verdad que enseñaron los demás: la tradición. (El espejo tiene el mismo significado).

Nuestros antepasados indígenas no tenían velas; para alumbrar usaban ocotes. Y como decían que la verdad y el conocimiento son como una luz que nos ilumina en el camino de la vida, al que era sabio le llamaban: "Ocote para los demás": o sea luz que les enseña a los demás qué hacer y cómo caminar en la vida.

La vela en sí no tiene sentido funcional (para alumbrar), sino ritual. Significa la verdad que se aprende, que ilumina el rostro y que el sabio transmite. Es verdad que se hace, para llegar a aprender la verdad en sí. La verdad que me ilumina tiene que venir de otro; y la verdad es lo que me hace persona.

Encima de las ofrendas se ponen cuatro velas en cruz. Esto significa la verdad que la tradición nos ha dicho sobre Dios, el mundo, lo humano y la comunidad. Significa que todo nos vino por la cruz gloriosa del Resucitado.

Así, el ocote, y después las velas, la cera y las veladoras, llegaron a ser los signos o símbolos del consejo, del acompañar y comprometerse con el otro.

Las velas que llevamos a la Virgen de Guadalupe significan mucho: queremos que ella nos acompañe en nuestra vida, nos guíe, nos enseñe a ir a su manera, imitándola en sus actitudes a Dios. Y también significan que nosotros nos queremos comprometer con el proyecto guadalupano, y ser luz para con los hermanos, acompañarlos, ayudarlos en su vida.

Nosotros queremos ser guías y luz para otros, pero la verdadera luz y guía para todos es Dios.

Torito de Luz: Es la lluvia de luces con cohetes, para pedir el agua del cielo, que nos trae la vida y para el florecimiento de las cosechas. Antes de quemarlo se ofrece a los cuatro puntos cardinales, para que haya lluvia en la totalidad del mundo.

Actualmente usamos los fuegos, luces, castillos, que son una maravilla de arte: de distintas figuras, incluso de la Virgen que nos da las rosas: todo ello es un desbordamiento de regocijo por la Reina de los mexicanos.

Cohetes: Símbolo relacionado con el agua, por lo tanto con la vida, con las cosechas, con la tierra fecunda. Su ruido es como el ruido del trueno con lluvia; el humo del cohete es como las nubes. Suplía la sonaja ritual que se usaba para pedir el agua. Expresa alegría, gran solemnidad, comunidad reunida para un evento importante y extraordinario.

Incienso: es un elemento cien por ciento teogénico (que tiene que ver con el origen y el ser de los dioses). Significa la dinámica de la vida y de la muerte y su sentido en la historia. El incienso sintetiza el rojo con el negro.

Rojo: la brasa, sol=vida.

Negro: el humo, noche=muerte.

En la simbología indígena, ritualmente, la mujer es la que lleva el incienso, y esto es un símbolo social porque la mujer está ligada con la vida y con la muerte. Ella da la vida: el parto es una victoria sobre la muerte. Cuando se da el caso de que una mujer muere en el parto, se dice que muere en una batalla para la vida, por eso se la compara con los guerreros.

En el medio indígena, en las capillas apartadas, la mujer del mayordomo, y encargada por él, inciensa dos veces al día. Es un símbolo dual y también teogélico, a la salida y puesta del sol. Se inciensa en forma de cruz, para que haya equilibrio en todo. Se inciensa para todas direcciones, para que haya equilibrio entre lo humano y lo divino.

Con el incienso queremos expresar nuestra oración por todo el mundo; para que, como dice el salmo, "suba mi oración como incienso a tu presencia". También expresamos nuestra adoración a quien los magos ofrecieron oro, incienso y mirra; queremos que nuestra vida sea alabanza y glorificación a Dios.

Reflexión, trabajos, compromisos

1) ¿Has participado en alguna peregrinación? ¿Por qué sí, por qué no?
2) ¿Qué te dicen los signos: comunidad, templo, peregrinación?
3) ¿Qué compromisos tiene la peregrinación?
4) La fe en Nuestra Señora de Guadalupe en ningún caso es escape de problemas o de aceptación pasiva y resignada a las cosas como están. Siempre valentía, compromiso, creatividad. Explica esto último.
5) Tengo espíritu de superación, rindo al máximo o me conformo con pasar por la ley del mínimo esfuerzo?
6) ¿Vivo el amor en mis actos y convicciones, o he condenado con dureza, con mis críticas, con mi hablar superficial?
7) Nuestro pueblo tiene capacidad de expresar la fe en un lenguaje total (canto, danza) que supera los racionalismos, tiene una fe situada en el tiempo (fiestas), y en lugares (Basílica y Santuarios de Guadalupe).
   a) ¿Cuál es tu opinión y tu opción al respecto y por qué?
   b) ¿Qué motivo tiene un cristiano para danzar? Busca alguna cita bíblica que lo apoye.
   c) ¿Podemos ser alegres, aunque estemos en un momento difícil?
   d) ¿Qué actitudes implica la fe?
   e) ¿Qué actos oscurecen la fe, y cuáles la aumentan?
   f) ¿En qué casos concretos ves a María como modelo de fe?
8) Algunos cantos propios para la peregrinación, según numeración del libro de cantos Evangelizar cantando:
   31: Me alegré cuando me dijeron: Vamos a la casa del Señor.
   35: Qué alegría cuando me dijeron: Vamos a la casa del Señor.
   40: Somos un pueblo que camina.
9) Santa María de Guadalupe, ¿qué quieres que te dé?... (momento de reflexión). ¿A qué quiere que renuncie?...
10) Pedimos perdón por... damos gracias por... pedimos por... ofrecemos... oramos... y cantamos...
11) ¿Cuáles son los rasgos de María de Guadalupe que deseo para mí? ¿Qué quiero pedir para que mi vida sea como la suya?

12) Rosario guadalupano:

a) La encarnación del Hijo de Dios

La virgen de Guadalupe se encarna en nuestra tierra. De Norte a Sur de la República habemos millones de católicos que la amamos como Reina y Madre especialmente de los indígenas de los pobres. En esta decena pedimos por ellos.

b) María visita a Isabel

La Virgen nos visita 5 veces en las apariciones a Juan Diego y a su tío Juan Bernardino. En estas apariciones nos da un proyecto por realizar, que siempre es actual y comprometedor para todo mexicano. Pidamos para hacer de corazón su obra.

c) El nacimiento de Jesús en Belén

La Virgen vino a dar a luz a Jesús en México. Cristo, la roca de nuestra fe. Tepeyac: encuentro con Cristo y con María.

d) Pusieron al Niño el nombre de Jesús

Dijo cómo debía nombrarse su bendita Imagen, la siempre Virgen Santa María de Guadalupe.

e) El niño perdido y hallado en el templo

Virgen de Guadalupe, concédenos en este día y en este lugar bendito de tu Basílica, encontrarnos con Jesús, y vivir su Evangelio.

13) ¿Conoces la Estilización del Resplandor? (Ofrenda para la Guadalupana). Escultura basada en el "Resplandor", dedicada a la Virgen de Guadalupe, elaborada a base de palomitas de maíz por el expueblo de la Magdalena Mixiuhca. Se encuentra en la Estación Mixiuhca del Metro, línea 9.

14) ¿Cuál es tu ofrenda personal y comunitaria a la Virgen y qué significado tiene?

SUGERENCIA Y MONICIONES

PARA LA MISA DEL 12, DIA DE LA VIRGEN DE AGUADALPE

—Alguien, desde el ambón, dirige el canto, para que todos participen (anteriormente ya se han preparado las hojas o cartulinas con el estribillo).

—Se tiene un equipo de acogida especialmente para los que van a actuar.

Introducción

Bienvenidos a esta celebración eucarística, hoy 12 de..., día de gracia, alegría, felicidad, día en que nuestra muy amada Virgen de Guadalupe, se quedó con nosotros para consolarnos, ayudarnos, guiarnos a su Jesús. Agradecidos nos preparamos con amor y fe a vivir nuestra misa.

Acto penitencial

Por medio de la penitencia, hacemos justicia y verdad a nuestras vidas. El pecado, reconocido y rechazado, no es obstáculo para el encuentro con Dios. En este momento tratamos de convertirnos a Dios que está aquí presente (Momento de silencio).

Primera Lectura

La Palabra de Dios es una fuerza transformadora; abramos nuestro corazón y penetrémonos de su Palabra, para identificarnos con él en sus actitudes, en su voluntad, en su misión.

Salmo

Alegres cantamos a Dios por todos los portentos que ha hecho con nuestra patria, especialmente por la presencia de Santa María de Guadalupe.

Evangelio

Como en la visita a Isabel, la Virgen vino a nuestra tierra, "puso su casa entre nosotros", nos trajo a Jesús. Por eso América Latina y el mundo entero, y especialmente nosotros, la amamos y glorificamos.

Oración de los fieles

Haz, Señor, que tu Iglesia tenga un solo corazón y una sola alma por el amor; fortalece al Papa, a los obispos y a todos los agentes de pastoral.

Por nuestra patria, México; aumenta su fe, haz que progrese por medio de la justicia, la fraternidad, la paz. Que reine el amor y surjan vocaciones totalmente entregadas a ti.

Por los pobres, marginados, damnificados, refugiados, enfermos, por todos los que sufren en el cuerpo o en el espíritu, para que la fuerza del Resucitado los libere y realice sus más hondos anhelos.

Que Santa María de Guadalupe reine en el corazón de cada mexicano, para que así cada familia sea un templo dedicado a su Hijo.

Por todos los jóvenes, para que se encuentren con la Madre, y que ella, uniéndolos a Cristo, los haga solidarios con sus hermanos.

Ofrendas

Jesús camina con nosotros y nos pide que pongamos en sus manos nuestra vida; por medio de nuestras ofrendas.

Indígena

Santa María de Guadalupe nos dejó su mensaje por medio de un indígena, que es el escogido, el preferido, para realizar su obra en México. Hoy también por medio de su cultura y su vida, tiene un mensaje que darnos.

La familia

Célula importantísima de nuestra patria, viene a ofecer sus hijos a Dios, para que él reine en cada uno de todos los hogares mexicanos y del mundo entero.

El joven

Esperanza de la patria y de la Iglesia, ofrece luz diciendo: "Señor haz que siempre nuestra luz seas tú, y que nuestra vida sea luz, para los jóvenes que no te conocen".

Religiosa

Nosotras te pertenecemos, te seguimos, te amamos, para que el mundo tenga vida en Cristo Jesús. Y en el camino nos guía e impulsa Santa maría de Guadalupe.

Profesionista

Por la profesión somos enviados por ti al mundo, para servir a los hermanos. Es el gran destino que tú nos diste y queremos realizarlo con fe, competencia y responsabilidad.

Obrero

Como san José, tu padre adoptivo, todo obrero está aquí para ofrecerte su trabajo, bajo la mirada de Jesús y María.

Los niños de México

Ofrecemos nuestra alegría, nuestros juegos y nuestro amor, por la paz y unión en los hogares.

Ministro

Al entregar la Palabra de Dios a los hermanos, nos comprometemos a vivir la Eucaristía y el amor a Santa María de Guadalupe.

LA VIRGEN DE GUADALUPE Y LA PATRIA

El pueblo indígena (azteca-mexica), Juan Diego, ve en sus ojos a la Virgen.

Miguel Sánchez publicó, en 1648, esta obra: Imagen de la Virgen María Madre de Dios de Guadalupe, milagrosamente aparecida en México. En ella afirma que el Apocalipsis "se convirtió en una profecía... mexicana". En Sánchez las raíces proféticas y las implicaciones patrióticas han hecho su originalidad. ¿Qué podrían valer desde ese momento en adelante a los ojos de los mexicanos las "Ejecutorias" del rey de España?

Sánchez afirma que Guadalupe es originaria de este país y primera mujer criolla... Y el Tepeyac es un nuevo paraíso.

Los Guadalupes: en 1800 se crea en la ciudad de México, con ramificaciones en otras ciudades, la Sociedad Secreta de los Guadalupes, destinada a apoyar el movimiento insurgente.

México tiene tan estrechamente vinculada su historia a la Virgen de Guadalupe a partir del momento en que se inicia la revolución de Independencia, que todo buen mexicano la ama en esta advocación, también como un símbolo de la patria.

Hidalgo: Padre de la Patria, nació en el estado de Guanajuato, el 8 de mayo de 1753. Hizo sus estudios en el colegio de San Nicolás de Valladolid (hoy Morelia).

Más tarde nos encontramos con Hidalgo en sus días de bachiller, solicitando de las autoridades eclesiásticas la necesaria autorización para levantar una columna en la falda del Tepeyac, para señalar el sitio en el que la Virgen esperó a Juan Diego. La columna fue colocada y permaneció en el sitio en el que la puso el Liberador, precisamente un siglo, cayéndose en los días de la coronación de Maximiliano (1895), abatida por una furiosa tormenta.

Recibió las ódenes sacerdotales, fue catedrático y rector del colegio de Valladolid (anteriormente citado), y luego pasó a desempeñar varios curatos.

VIVA
GUIA
DAL
UPE.

El 9 de octubre de 1800 es consagrado el santuario de Nuestra Señora de Guadalupe en san Luis Potosí. Al día siguiente canta ahí misa Don Miguel Hidalgo; participan, entre otras muchas personas destacadas, el brigadier Félix María Calleja y el Oficial Don Ignacio Allende. Por la tarde, el regocijo popular por el nuevo templo Guadalupano tuvo una corrida de toros en la que partió Plaza Allende, encontrándose entre los espectadores Don Miguel Hidalgo y el citado Calleja.

En septiembre de 1810 estaba Hidalgo al frente del curato de Dolores, Guanajuato.

En su cambio desde Dolores a San Miguel para unirse con el batallón de la Reina, de Ignacio Allende, Hidalgo se detuvo a orar en la iglesia de Atotonilco mientras sus 600 hombres esperaban en el atrio. Al salir enarbola la imagen capaz de unir al pueblo para la gigante empresa.

"¡Viva la Virgen de Guadalupe que conducirá a su pueblo a la victoria!" Era ésta la proclamación de la Virgen Mexicana, que encabezó los primeros momentos de la Independencia nacional. Hidalgo mandó colocarla en lugar de honor y le dio amorosamente el título de Capitana General.

Este acto ciertamente fue digno de quien con su intuición y larga experiencia conocía el ánimo del pueblo. Efectivamente, nada hay para unirnos y entusiasmarnos como la Virgen de Guadalupe y las empresas colocadas bajo su manto. El acto de Hidalgo era una manifestación de amor a la Guadalupana.

Lorenzo de Zavala, que se sumó a los separatistas de Texas, afirma que Hidalgo obraba sin plan alguno y que todo su entusiasmo era gritar: "¡Viva la Virgen de Guadalupe!"

Don Alejo García Conde, describiendo como testigo de vista el uniforme de Hidalgo, hace notar que ostentaba, colgada sobre el pecho, una gran medalla de oro de la Virgen de Guadalupe.

Hidalgo es el iniciador de la Independencia en su aspecto efectivo y vital, para ser planteada radicalmente más tarde por Morelos, y consumada en parte por Iturbide. Hidalgo no tuvo tiempo de precisar sus planes, ni tenía fortuna ni genio militar para obtener el triunfo por medio de las armas. A pesar de todo fue un verdadero iniciador, porque intentó conscientemente "una gran empresa de libertad", comprendiendo que eso le costaría la vida.

En Celaya, a espaldas del templo parroquial, existe un monumento recordando que el Padre Hidalgo colocó allí su estandarte guadalupano el 21 de septiembre de 1810.

Y no era Hidalgo el único guadalupano entre los insurgentes de aquella época, sino que existen relatos acerca de la toma de Guanajuato, afirmando que los insurgentes llevaban banderas de todos los colores con una estampa de la Santísima Virgen, como también la llevaban en los sombreros.

En 1811 aparece el *Poema Guadalupano*, análogo a las ocurrencias de la insurrección causada por el cura Hidalgo, cuyo autor es Luis Mendizábal.

En 1812, el primero de enero, un espía que describe la entrada del ejército insurgente en Cuahutla dice que: "las repúblicas de todos estos pueblos se han declarado en su favor y traen la imagen de Guadalupe en sus sombreros".

Y los principales insurgentes fusilados en Chihuahua fueron sepultados en el santuario de Guadalupe.

Todo México está satisfecho y conforme con el arraigo Guadalupano del Padre Hidalgo, con su fe y amor a la Santísima Señora que, según sus propias palabras, "presidió los combates en Guanajuato y Aculco".

Y al tener que quitarse sus vestiduras, tenían que quitarle la Imagen de la Guadalupana que llevaba sobre el pecho, en hermosa labor bordada. Hidalgo quiso que fuera regresada al convento de las madres Teresitas de Querétaro, quienes se la habían regalado el día de su santo (8 de mayo de 1807). Y el historiador Manuel cuevas, s.j., (*Album Histórico Guadalupano*, 267-268), asienta la tradición del guadalupanismo del Padre de la Patria, al señalar que una Imagen de la dulce Señora "le acompañó en todas sus batallas y hasta el mismo patíbulo".

Nuestros héroes, Hidalgo y Allende, al ser aprehendidos en Acatita de Baján, llevaban consigo imágenes de la Virgen de Guadalupe; e Hidalgo, al ser fusilado, portaba en la bolsa de su ropa, a la altura del pecho, una imagen que fue perforada por una bala, y, ensangrentada, se conserva en un museo.

Plan de gobierno de Hidalgo

Publicado en Valladolid por el intendente Anzorena el 15 de diciembre de 1810, se lee lo siguiente:

Establézcase un congreso que se componga de representantes de todas las ciudades, villas y lugares de este reino, que teniendo por objeto principal mantener nuestra santa religión, dicte leyes suaves, benéficas y acomodadas a las circunstancias de cada pueblo; ellos entonces gobernarán con dulzura de padres, nos tratarán como a sus hermanos, desterrarán la pobreza, moderando la devastación del reino y la extracción de su dinero, fomentarán las artes, se avivará la industria, haremos uso libre de las riquísimas producciones de nuestros feraces países y a la vuelta de pocos años, disfrutarán sus habitantes de todas las delicias que el soberano autor de la naturaleza ha derramado sobre este vasto Continente.

Miguel Hidalgo, 1810. Se encuentra este documento en el *Museo Nacional de la Intervención*, calle 20 de Agosto y Xicotencatl, Col. Churubusco. México, D. F.

En un bando publicado por Antonio Ignacio Rayón, en Tlalpujahua, el 23 de octubre de 1810, este jefe declara, en nombre del generalísmo Hidalgo, que "el objeto del plan de Independencia, no es otro más que la manutención de nuestra libertad y el alivio de los pueblos".

Morelos: Don José María Morelos nació en Valladolid (Morelia), el 30 de septiembre de 1765.

En la Universidad de México recibió el grado de bachiller. Para poder continuar su carrera tuvo que aceptar el ofrecimiento del cura de Uruapan, quien lo llevó a su parroquia para que enseñara gramática y retórica.

A principios de marzo de 1798 era ya cura de Carácuaro.

En 1810 pudo ver pasar a los realistas que huían de Valladolid y de Pázcuaro al aproximarse los insurgentes, salió de su curato a Valladolid y, al saber que la rebelión era acaudillada por su antiguo maestro, Don Miguel Hidalgo, partió en busca de las tropas insurgentes hasta encontrarlas en Indaparapeo.

Don Miguel Hidalgo extendió un nombramiento que decía:

Por la presente comisiono a mi lugarteniente, Don José María Morelos, para que en la costa del Sur levante tropas, procediendo con arreglos a las instrucciones que le he comunicado.

En el mismo mes de octubre de 1810, salió Morelos de Carácuaro con 25 hombres del pueblo, armados con algunas escopetas y lanzas recién construidas, y se dirigió hacia Zacatula, atravesando la Provincia de Michoacán con rumbo a la costa.

Siguió creciendo la tropa de Morelos hasta llegar a 3000 hombres. El 3 de mayo inició la marcha hacia Chilpancingo.

Por los éxitos militares de Morelos la situación del país se modificó profundamente en poco más de un año, de una manera muy favorable para la causa independiente. Sus tropas, formadas por brigadas, constaban de mil infantes y dos mil hombres de caballería que hicieron sus servicios, cuando fue necesario, a pie. Y así, con gran valentía y entrega a la causa, fue aumentando sus hombres y sus victorias a través de varios Estados del país.

El 18 de abril de 1811 José María Morelos erige la Nueva Provincia de Tecpan y da a su cabecera el nombre de "Ciudad de Nuestra Señora de Guadalupe".

El 7 de noviembre de 1812, en los puntos de nuestra Constitución enviados por Rayón a Morelos, se dice:

Los días 16 de septiembre en que se proclamó nuestra feliz independencia, y 13 de diciembre, consagrado a nuestra amabilísima protectora, Nuestra Señora de Guadalupe serán solemnizados como los más augustos de nuestra nación.

En diciembre de 1812 Morelos comunica a Rayón que "la toma de la ciudad de Oaxaca por las tropas insurgentes, se debió a la Emperadora Guadalupana", a la cual atribuye todos sus éxitos. Hasta que en Tezmalaca fue alcanzado y derrotado. En todos los poblados que les tocó pasar en su camino hacia México, movía a las multitudes la curiosidad por ver de cerca a Morelos.

A las seis de la mañana del 22 de diciembre se detuvo a orar en el Tepeyac (iglesia del Pocito), donde hoy está una lápida recordatoria que dice así:

En esta capilla se detuvo a orar el más grande de los caudillos insurgentes, el generalísimo Don José María Morelos y Pavón.

Al pasar por esta ciudad en la mañana del 22 de diciembre de 1815 rumbo a San Cristóbal Ecatepec, para ser sacrificado.

La gran significación de Morelos en la independencia, los actos fundamentales de sus tareas por esta causa, aparte de sus inmensos merecimientos como caudillo militar, son la formación del Congreso de Chilpancingo y sus proyectos de nueva organización del país.

Proclama Guadalupana de Morelos

Nueva fusión de Patria y Virgen en el corazón del pueblo. El 11 de Marzo de 1813, desde Ometepec, Gro., Morelos expide un decreto para que la la Virgen de Guadalupe sea honrada, todo varón declare ser su devoto, soldado, y defensor de su culto y al mismo tiempo defensor de su patria. Y que serán traidores a la Nación los que profanen el culto a la Virgen del Tepeyac.

Dice así:

Don José María Morelos, Capitán General de los ejércitos Americanos y Vocal de la Suprema Junta Nacional Gubernativa del reyno...

Por los singulares, especiales e innumerables favores que debamos a María santísima, en su milagrosa imagen de Guadalupe; patrona, defensora y distinguida Emperatriz de este reyno, estamos obligados a tributarle todo culto y adoración, manifestando nuestro reconocimiento, nuestra devoción y confianza, y siendo su protección en la actual guerra tan visible que nadie puede disputarla a nuestra nación, debe ser visiblemente honrada y reconocida por todo americano.

Por tanto, mando que en todos los pueblos de este reyno, especialmente del sur de esta América septentrional, se continúe la devoción de celebrar una misa el día 12 de cada mes en honra y gloria de la santísima Virgen de Guadalupe, y en todos los pueblos donde no hubiera cofradía o devoto que exhiba la limosna, se sacara ésta de las cajas nacionales: y en las divisiones de nuestro Ejército será obligación de los capellanes sin percepción de limosna, y en donde hubiera muchos capellanes, le tocará al que entrare de semana.

En el mismo día doce de cada mes deberán los vecinos de los pueblos exponer la Santísima Imagen de Guadalupe en las puertas o balcones de sus casas sobre un lienzo decente, o cuando no tengan imagen colgarán el lienzo mientras la solicitan de donde las hay, añadiendo arder las luces que según sus facultades y ardiente devoción le proporcione. Y por cuanto no todos pueden manifestar de este modo, deberá todo hombre generalmente de diez años arriba traer en el sombrero la cucarda de los colores nacionales, esto es, de azul y de blanco, una divisa de listón, lienzo o papel, en que declara ser devoto de la Santísima Imagen de Guadalupe, soldado y defensor de su culto, y al mismo tiempo defensor de la religión y su patria contra las naciones extranjeras que pretenden oprimir a la nuestra.

Y para que esta disposición obligatoria tenga su debido cumplimiento, mando a todos los jueces militares y políticos, ruego y encargo a todos los prelados Eclesiásticos cuiden y celen con todas sus fuerzas, a fin de que los súbditos logren tan santos fines, reservando declarar por indevoto y traidor a la nación al individuo que reconvenido por tercera vez, no usare la cucarda nacional o no diera culto a la Santísima Virgen, pudiendo.

Y para que llegue a noticia y nadie alegue ignorancia, mando se publique por bando en las provincias de Teipan, Oaxaca y siguientes del reyno.

Dado en cuartel general de Ometepec a los once días de marzo de mil ochocientos trece - José María Morelos - Por mandato de su Excelencia, José Lucas Martín Pro Secro. *(Act. Liturg.* No. 85. Nov. Dic. 1988).

En 1813, el 14 de septiembre, en el artículo 19 de los *Sentimientos de la Nación*, Morelos declara:

"Que en la misma Constitución se establezca la celebración del día 12 de diciembre, en todos los pueblos dedicados a la Patrona de Nuestra Libertad, María Santísima de Guadalupe, encargando a todos los pueblos la devoción mensual".

13 de diciembre de 1813: Se celebran, en la ciudad de Oaxaca, con asistencia de las fuerzas insurgentes, las "portentosas apariciones de Nuestra Soberana Patrona María Santísima de Guadalupe".

1814, diciembre. En el calendario Patriótico, dispuesto por el gobierno insurgente para el año de 1815, se señala como día festivo el 12 de diciembre, indicándose que se cumplirán 284 años de la aparición de la Virgen de Guadalupe y 65 de la erección de su insigne Colegiata.

Otro septiembre: once años después del Grito de Dolores, la ciudad de México se engalana para recibir al Ejército trigarante. Y su jefe, Iturbide, creaba la "orden de Guadalupe" para premiar servicios y agradecer esfuerzos por la "Religión, la Unión y la Independencia": su triunfo se conmemoró con un gran novenario al que asistió el mismo Iturbide.

Don Agustín de Iturbide, Emperador de México, instituyó la Imperial Orden de Guadalupe en 1822. El 20 de febrero la Junta Provisional Gubernativa aprobó sus estatutos, que el Congreso ratifica el 11 de junio. La Orden se inauguró el 13 de agosto.

1822, 12 de agosto: El Congreso Constituyente decreta que el día 12 de diciembre seguirá siendo "fiesta de tabla y de corte".

1823, 25 de abril: El Congreso de la Nación expide su reglamento, cuyo artículo 8º Cap. I, manda que se coloque, en los muros del salón de sesiones, "una imagen de la poderosa Patrona de la Nación, María Santísima de Guadalupe".

1824: El congreso de la Nación declara fiesta nacional el 12 de diciembre.

En 1828: El General Don Vicente Guerrero depositó en los altares de la Virgen de Guadalupe las banderas quitadas a Barradas en una reciente batalla.

Miguel Antonio Fernández Félix luchaba contra las fuerzas realistas que acampaban al otro lado de un arroyo en la ardiente Sierra Mixteca, cuando uno de sus hombres se atrevió a bajar y beber agua del arroyo. Fue abatido por los arcabuses enemigos. El bravo guerrillero arrojó su sable a la orilla y gritó: "Va mi espada en prenda; voy por ella". Toda su fuerza le siguió; al conquistar el triunfo, cambió su apellido por el de Victoria y de nombre se puso Guadalupe. Cuando renunció Iturbide y fue proclamada la República, su primer Presidente no se llamó Miguel Antonio Fernández Félix, sino Guadalupe Victoria, a honor de la Señora a la que atribuía los triunfos.

En 1841, el 5 de octubre, el Presidente de la República, general Don Anastacio Bustamante, llegó a la Villa para trabar combate con el general Santa Anna.

1853, 19 de diciembre: Se reinstala, en la Colegiata, la Orden de Guadalupe, por decreto del día 11 de ese mismo mes, del Presidente Santa Anna.

1853, 12 de diciembre: Se deposita en el Santuario de Guadalupe, por orden del Presidente Santa Anna, el estandarte de Don Miguel Hidalgo. Ahí permaneció hasta el 17 de febrero de 1856.

1854. A mediados de este año, se reconstruye, por funcionarios del gobierno del Presidente Santa anna, la Calzada de Guadalupe.

1857: Amanece sombrío para México: hay enseñas extranjeras en los edificios públicos; hay también un esfuerzo de paz y convivencia, que cristaliza en los "Tratados de Guadalupe", con cláusulas de sabor cristiano que prohiben la esclavitud. Un buen día la carroza de Juárez es sorprendida por una enérgica figura, jefe de la guerrilla, él es: "Guadalupe de la Chinaca".

1858, 11 de agosto. Decreto de D. Benito Juárez, refrendado por Ocampo, suprimiendo varios días de fiesta, pero conservando vigente la observancia del 12 de diciembre, dedicado a la Virgen de Guadalupe.

También este presidente dijo:

La Patria, porque contra ésta nunca tendremos razón, todo lo que México no haga por sí mismo para ser libre no debe esperar, ni conviene que espere que otros gobiernos y otras naciones hagan por él.

(Benito Juárez, Museo Nacional de la Intervención)

Zaragoza derrota a las tropas francesas en el Cerro de Guadalupe.

Zapata entra en Cuernavaca con el estandarte de la Virgen de Guadalupe.

Don Venustiano Carranza pone el nombre de "Plaza de Guadalupe" al lugar donde comienza su lucha contra Victoriano Huerta.

Alvarez y Comonfort peregrinan a su Basílica, después del evento de Ayutla.

Desde *Avila Camacho,* los presidentes han ido a postrarse ante la Virgen de Guadalupe en su Basílica, para suplicarle éxito en su delicada misión.

El *Lic. Miguel Alemán* inauguró la Calzada de la Villa y la Plaza de las Américas.

Finalmente, porque la enumeración de hechos sería interminable: *López Mateos* defiende ante una rueda de periodistas en Brasil, que el cuadro guadalupano "no fue pintado por manos humanas".

Es que nada hay tan mexicano como la Virgen del Tepeyac. Y todo el amor y sacrificio de nuestras gentes se alimenta y engrandece con la mirada alentadora de sus hermosos ojos de indita, que nos siguen por todas partes.

Es todo mexicano, con su estilo y personalidad, que nace cantando el amor a la Virgen y que tiene una conciencia de identificación con la "Morenita" del Tepeyac.

Las canciones populares con que nos arrullan nuestras madres son canciones a la Virgen de Guadalupe: "Claro sol del Tepeyac", "Es el amor de mi alma", "Desde que yo supe amar", "Allá en mi niñez, mi cuna meció, por eso desde niño, siempre la quise yo"... etc.

También los artistas de cine y de televisión, y los deportistas famosos, la aman. Y en cada escenario el amor a la Guadalupana se expresa de diversas maneras: cantos, oraciones, danzas, coplas, alegría, arte. También con la comunicación y participación de los bienes materiales y espirituales; por amor, no por imposición, para que la abundancia de unos remedie la necesidad de otros *(Puebla,* 1148 al 1150).

Dice con razón un escrito antiguo: "*Cuantos la han visto con los ojos del amor, han pedido una copia para llevar a sus hogares y a sus templos, hasta los rincones más apartados. Nadie que de mexicano se precie deja de tener la suya; y no es amigo de este país el que no la ama*".

Efectivamente, bajo el amparo de la Virgen de Guadalupe nació la patria mexicana.

Si tú quisieras, Patria...

Si tú quisieras, Patria,
si a su amparo
buscas el reparo
de tu hondas, terribles averías;
si, arrojando mortífero veneno,
volaras en su seno,
fueras dichosa como en otros días.

Tú no naciste para esclava
de grandeza que grava
los hombres sanos con ingrato peso;
naciste para amar y ser piadosa,
no quieras envidiosa
cifrar tus dichas en falaz progreso.

Levanta, Patria, la abatida frente,
y cuando el sol poniente
bañe de oro las ondas de tus mares,
ilumine otro sol guadalupano
al pueblo mexicano
de rodillas al pie de tus altares.

Renazcan ya los años venturosos,
los tiempos vigorosos
de ardiente patriotismo y fe sincera,
y volverás a ser, oh Patria mía,
de la Virgen María,
entre sus predilectos la primera.

(Fragmento de *Non fecit...* de Julio J. Vétiz, s.j.)

Reflexión, trabajos, compromisos

1) ¿A quién representa Juan Diego?
2) ¿Quiénes eran "los Guadalupes"?
3) Haz una síntesis de la vida de Hidalgo, destacando su amor a la Virgen de Guadalupe.
4) Haz una síntesis de la vida de Morelos y sus principales hazañas patrióticas.

5) Sobre la proclama de Morelos, ¿qué nos corresponde hacer para que se cumpla?
6) ¿Qué hizo Zapata? Investiga más sobre esto.
7) ¿Qué dice el *Calendario Patriótico,* referente a la Virgen de Guadalupe?
8) ¿Qué hizo el Emperador Iturbide para honrar a la Virgen de Guadalupe?
9) ¿Qué aspectos de los Presidentes de México, en su amor a la Virgen de Guadalupe, quieres resaltar?
10) Tú, que eres mexicano, ¿por qué amas a la Virgen de Guadalupe?
11) ¿Qué diálogo de amor es urgente hoy con María de Guadalupe?
12) ¿Cómo hay que realizarlo?

MARÍA EN LA EVANGELIZACIÓN DE AMÉRICA LATINA

Bellamente lo expresó el Papa Juan Pablo II en México en 1979:

De hecho, los primeros misioneros llegados a América provenientes de tierras de eminente tradición mariana, junto con los rudimentos de la fe cristiana, van enseñando el amor a ti, Madre de Jesús y de todos los hombres. Y desde que el indio Juan Diego hablara a la dulce Señora del Tepeyac, tú, Madre de Guadalupe, entras de modo determinante en la vida cristiana del pueblo de México. No menor ha sido tu presencia en otras partes donde tus hijos te invocan con tiernos nombres, como Nuestra Señora de Altagracia, de la Aparecida, de Luján, y tantos otros no menos entrañables, para no hacer una lista interminable con los que en cada nación y aun en cada zona de los pueblos latinoamericanos te expresan su devoción más profunda y tú les proteges en su peregrinar de fe... Este pueblo, que afectuosamente te llama "La Morenita". Este Pueblo—indirectamente todo este inmenso Continente—vive su unidad espiritual gracias al hecho de que tú eres la Madre. Una Madre que, con su amor, crea, conserva, acrecienta espacios de cercanía entre sus hijos.

(Homilía en la Basílica de Nuestra Señora de Guadalupe, n. 3).

Y así recordamos sólo como referencia los títulos y correspondientes advocaciones o devociones.

—Nuestra Señora de Guadalupe en México.
—A la Virgen de las Mercedes en la República Dominicana.
—A Santa María del Rosario de Guatemala.
—A Nuestra Señora de la Caridad del Cobre en Cuba.
—A la Madre de la Divina Providencia en Puerto Rico.
—A Nuestra Señora de la Paz en El Salvador.
—A Nuestra Señora de Suyapa en Honduras.
—A la Virgen de la Concepción en Nicaragua.

—A Nuestra Señora de los Angeles en Costa Rica.
—A Nuestra Señora de Coromoto en Venezuela.
—A Nuestra Señora del Quinche en Ecuador.
—A la Virgen de las Mercedes y a Nuestra Señora de Chapí, en el Centro Andino y Sur de Perú, respectivamente.
—A la Virgen de Copacabana en Bolivia.
—A la Virgen del Carmen en Chile.
—A la Virgen de Luján en Argentina.
—A la Virgen de los 33 en Uruguay.
—A Santa María de Caacupé en Paraguay.
—Y a Nuestra Señora de Aparecida en Brasil.

Vale la pena recordar que ha habido una tendencia a simplificar los nombres de ciudades y villas con lo que frecuentemente se ha hecho desaparecer el apelativo mariano que ostentaron en un principio. Por ejemplo Santa María de los Buenos Aires, como fuera fundada la capital Argentina por Don Pedro de Mendoza el 2 de febrero de 1535; Asunción de Nuestra Señora, como fuera fundada, en 1537, la actual capital de Paraguay; o el caso de Valparaiso, cuyo primer título fue Nuestra Señora de Puerto Claro; o de Arequipa, como Nuestra Señora del Valle Hermoso de Arequipa. La Paz, sede actual del gobierno boliviano, es en realidad Nuestra Señora de la Paz; Santa María de Puerto Príncipe es el nombre primero de Puerto Príncipe, y Nuestra Señora de la candelaria de Medellín es, en la actualidad, solamente Medellín.

Digamos, de paso, que la presencia española tuvo relevancia en actuales territorios (una tercera parte) de Estatos Unidos. También allí entró el cristianismo y la devoción mariana. Y así, los Angeles, en California, fue "Santa María de los Angeles de la Porciúncula"; el estuario que apunta hacia Washington tenía, como nombre original, La bahía de la Madre de Dios. Y llamaron: Nuestra Señora del Pilar de Zaragoza a la actual Ballinger de Texas; San Antonio Texas fue Nuestra Señora del Pilar y el río Missisipi se denominó "Rio de la Inmaculada Concepción".

Impresiona la presencia de la Virgen en la obra de la evangelización de América Latina, como también templos, iglesias y capillas levantadas en su honor. Todo ello justifica la apreciación del obispo chileno Ramón Angel Jara, quien a principios de siglo decía en Lima: "La América no ha llegado a Jesús sino en brazos de María; ni cimentó sus conquistas, ni ha tronchado sus cadenas de servidumbre, ni ha encarrilado su marcha en la senda del progreso sin que arraigara primero en el corazón de sus hijos un amor ardiente y entusiasta hacia la Virgen María".

Y ese amor vino a los pueblos latinoamericanos desde el primer momento de la presencia evangelizadora.

Lo esencial de la cultura de nuestros pueblos está signado por el Evangelio y por María. Nuestro país-continente tiene, en su adhesión al catolicismo, la matriz constituyente de su identidad. De ese catolicismo del cual María es presentada como su realización más alta. Así afirma Puebla:

En nuestros pueblos, el Evangelio ha sido anunciado presentando a la Virgen María como su realización más alta. Desde los origenes —en su aparición y advocación de Guadalupe— María constituyó el gran signo, de rostro maternal y misericordioso, de la cercanía del Padre y de Cristo, con quienes ella nos invita a entrar en comunión. María fue también la voz que impulsó a la unión entre los hombres y los pueblos. Como el de Guadalupe, los otros santuarios marianos del continente son signos del encuentro de la fe de la Iglesia con la historia latinoamericana (282). Por eso el pueblo sabe que encuentra a María en la Iglesia católica. La piedad mariana ha sido, a menudo, el vínculo resistente que ha mantenido fieles a la Iglesia sectores que carecían de atención pastoral adecuada (284).

Varios siglos después, prosiguiendo en la línea de aquella evangelización fundacional, los obispos han dicho en Puebla:

La Iglesia, que con nueva lucidez y decisión quiere evangelizar en lo hondo, en la raíz, en la cultura del pueblo, se vuelve a María para que el Evangelio se haga más carne, más corazón en América Latina (303).

Reflexión, trabajos, compromisos

1) ¿Qué dijo el Papa referente a la Virgen de Guadalupe y el pueblo mexicano?
2) Cita otra advocación y Santuario Mariano en México.
3) Expon en qué consiste, y cuál es la advocación mariana de dos países de América Latina.
4) ¿Por qué se llama a Latinoamérica el Continente Mariano?
5) ¿En qué consiste este amor a la Virgen en tu persona, familia y comunidad eclesial?

EL AYATE DE JUAN DIEGO

Para los aztecas, la sociedad piramidal se coronaba con *Tlacatecuhtli* que era la máxima autoridad. Después le seguía el consejo *(Tlatocan)* presidido por el jefe de barrio *(cuacóatl)*. Seguían las diferentes clases sociales: los señores, sacerdotes, y al último los agricultores, que son los *mecehualli,* entre los que se encontraba Juan Diego. Todavía quedaban más abajo los esclavos de guerra.

La clase media o *mezehuales,* a la que pertenecía Juan Diego, generalmente usaba una tilma de ayate, que se hace de *ichtli,* fibras del maguey, de color desteñido, y lo anudaban sobre el hombro izquierdo.

La Tilma de Juan Diego está hecha de dos piezas cosidas por el centro. La cara de la Virgen, porque se inclinó a la derecha, escapó de ser marcada por esta costura. Llama la atención notablemente la persistencia de la costura que ha unido los dos lienzos. No se ha destruido en los 460 años de servir a la pintura.

La existencia del ayate es un milagro continuo, porque es bien sabido que la fibra de maguey (yute, como costal) se desintegra en 30 años, no dura más, y nuestra Imagen está no sólo intacta, sino que luce con sus colores tan vivos como cuando se apareció en 1531. Además habría que considerar los años que Juan Diego la haya usado antes de que el milagro sucediera. Santa María nos dejó su retrato en una burda y tosca tela, que ningún artista podría haber escogido como material de trabajo.

El lienzo tiene 170 x 104 cms. Está formado por dos mantas unidas por medio de una burda costura vertical efectuada con hilo al parecer del mismo material. Sus dimensiones corresponden a una tilma adecuada para una persona de estatura media, de aproximadamente 1.70 m. Como se puede apreciar en varios códices, se usaba haciendo un nudo en su extremo superior, alrededor del cuello, para permitir libertad de movimientos de la cabeza y los brazos; a veces hacían un nudo a la espalda para que les sirviera de hatillo cuando cargaban cosas. Las tilmas se confeccionaban de una magnitud que llegaba hasta las pantorrillas, sin arrastrarse en el suelo, Juan Diego no tendría que haber sido un gigante para portarla. En la parte inferior izquierda del cuadro se aprecia con pintura negra una marca que se asemeja a un número 8 acostado. Se supone que está en relación con el operario que elaboró las mantas, que corresponden a un tejido de fibras de maguey, procedimiento habitual que aún se puede encontrar en México.

Se palpan diferentes cualidades en el ayate: por el revés es áspero y duro; de frente es suave y blando. Lo que es inexplicable por causa natural.

Los médicos Luis de Cárdenas Soto, Gerónimo Ortíz, Juan de Melgarejo, analizaron la imagen y dieron su juicio el 28 de marzo de 1666: Que el nitro que lleva el aire debería corromper la Imagen, como lo hace con las piedras de cantera, o con la plata de la capilla, la cual se pone negra; por eso "sobrepuja al ingenio humano" comprender la incorruptibilidad de la Imagen.

El Lago de Texcoco, que rodeaba la Villa, hacía el lugar húmedo, pantanoso y lleno de salitre, elementos para destruir, más que para conservar la Imagen. Así duró la tilma muchos años, no sólo sin cristal, sino tambien sin bastidor

Por eso, en primer lugar hicieron una descripción del ambiente que envuelve la Imagen, tanto la atmósfera salitrosa, como el haber durado 116 años sin vidrio, hasta 1647. Sin ninguna protección, expuesta al calor de innumerables ceras y mechones que ardían continuamente y la resecaban, para volverse después a humedecer con el salitre acuoso del lago.

Estaba en un altar tan bajo, que las manos de cualquiera pudieron tocarla. Al alcance de los devotos que frotaban el ayate, lo tocaban y ponían toda clase de objetos piadosos sobre él, como medallas, escapularios, rosarios, etc.

Durante sus primeros 150 años, la Sagrada Imagen fue trasladada seis veces, por inundaciones, epidemias, o para renovar o reconstruir su Templo. Y aún después de aislarla con un vidrio, fue abierta con demasiada frecuencia, para que la devoción insaciable tocase el lienzo con estatuas, imágenes, medallas, estampas, etc. Dice Cabrera que en 1753 contó más de 500 imágenes, aparte de rosarios y medallas, que frotaron o tocaron al lienzo en las dos horas que estuvo abierta la vidriera. Y el Dr. Uribe se lamenta, en 1795, de las "acciones y prácticas de un culto mal entendido"; porque el lienzo está expuesto a impresiones continuas y muchas veces toscas, que hacen mella aun en los mármoles y bronces (como se ve en Roma, en la *Escala Santa* de mármol y en la estatua de bronce de San Pedro, en el Vaticano).

Carlos María Bustamante certifica que en 1791, cuando los plateros estaban limpiando el marco de oro, se les derramó ácido nítrico en una esquina de la tilma, corriendo hasta dos terceras partes de ella. Como se sabe, el ácido nítrico reacciona con las fibras vegetales deshaciéndolas poco a poco. Dice Bustamante: " ¿Dónde está la fuerza corrosiva del agua fuerte, que derramada desde la cabeza de la Imagen hasta los pies, por un descuido de los plateros, también respetó el débil ayáte, dejando un solo vestigio para testimonio en todos los tiempos de este prodigio?

Aún hoy día se pueden ver en el ángulo superior izquierdo del lienzo, y derecho del observador que lo ve de frente, dos manchas largas como especie de goteras, que dejó el ácido nítrico.

Hay dos fenómenos que no tienen explicación:

¿Por qué no se deshizo el ayate con el ácido nítrico? ¿Por qué se están borrando poco a poco las manchas del ácido?

Posteriormente se quiso hacer una copia exacta y para ello el papel copia fue previamente engrasado, sin llegar a deteriorarse o mancharse la Imagen, a pesar de que tuvo contacto con el aceite y la grasa del preparado para la copia.

Estos hechos son prueba suficiente para aceptar el testimonio de Valeriano que, simplemente, nos asegura que la Imagen de la siempre Virgen Santa María de Guadalupe es de origen divino.

Reflexión, trabajos, compromisos

1) ¿Quiénes usaban ayate, y para que servía esta prenda entre los aztecas?
2) ¿De que está hecho el ayate y cuánto dura?
3) ¿Por qué la existencia del ayate de Juan Diego es un milagro?
4) ¿Qué características inexplicables se observan en el ayate de Juan Diego, y por qué?
5) ¿Qué conclusión personal y comunitaria sacas de estos hechos para tu compromiso con Dios y con la Guadalupana?

SIMBOLOGÍA DE LA IMAGEN DE LA VIRGEN DE GUADALUPE

1. La lengua náhuatl dejó de escribirse en jeroglíficos poco después de las apariciones. Los misioneros españoles y los intelectuales vieron que se podía escribir fonéticamente con las letras de nuestro alfabeto, y desde entonces el náhuatl se escribió así.

2. Los aztecas escribían sus libros con figuras o jeroglíficos y estaban acostumbrados a entender aun los más abstractos y complejos. Así que descifraron inmediatamente el mensaje escrito en esta Imagen celestial.

3. La Virgen se apareció de este modo porque quería ser "una escritura jeroglífica", un catecismo especial, para que sus recién adoptados hijos fácilmente la entendieran. Este hecho es muy natural puesto que los naturales no podían todavía leer el castellano.

4. Resulta en conjunto que la Imagen de la Virgen de Guadalupe constituye uno de los primeros catecismos.

5. En relación al contenido, hay sólidos argumentos en favor de que la Imagen corresponde a un códice con innumerables mensajes inscritos, que constituye el más importante medio evangelizador.

6. Por todo lo anterior no es nada extraño que la Virgen de Guadalupe haya sido y siga siendo un símbolo de unión y comprensión que refleja el culto universal a los más delicados valores del espíritu.

7. Así lo demuestran las grafías del Tepeyac, las montañas, el "*Nahui Ollin*", el jeroglífico de Venus, la correspondencia de lugares geográficos, la colocación de las estrellas, la interpretación de los colores, la significación del **quincunce** como centro motor y dador de vida, el simbolismo jeroglífico de la fecha de la aparición, o el frecuente empleo de difrasismos que implica la interpretación de los elementos pictóricos.

8. La Virgen está en movimiento, viene danzando, viene bajando hacia nosotros.

9. Toda la Imagen tiene por respaldo el sol, que hermosamente la rodea, despidiendo 129 rayos, unos un tanto serpeados y los otros rectos, o sea alternan un rayo recto y uno inclinado: son el pensamiento y alma. Dispuestos alternativamente, 62 por el lado derecho y 77 por el izquierdo. Sirve de fondo al sol; el campo que se deja ver entre sus rayos, y que en el contorno de la Imagen es tan blanco, semeja una nube, que hace resaltar la sublimidad de la figura. Además parece estar reverberando, y después se le introduce un color amarillo, algo ceniciento, y se concluye con un contorno de nubes de un colorido un poco más bajo que el rojo, que forman como un nicho en cuyo centro está la Imagen de la Evangelizadora, Madre y Reina de los mexicanos y del mundo entero.

10. Los aztecas adoraban al sol, Tonatiuh, y le agradecían sus rayos ardientes y vitales, ofreciéndole lo más precioso que el hombre posee, el corazón, para que continuara su ciclo diario y el mundo no pereciera. Pero cuando miraron la Imagen de la Virgen y vieron que estaba delante del sol, y su cuerpo humano lo tapaba dejando sólo visibles sus rayos, se dieron cuenta de que los seres humanos valen más que el sol, y que el sol no era un dios.

11. Está pisando una luna negra en cuarto creciente, que simboliza al maligno. Además, éste era uno de los ideogramas para representar a Quetzalcóatl, la serpiente emplumada, ídolo al que adoraban con una religión de temor y al que aplacaban ofreciéndole sacrificios humanos. Esto les revelaba que Nuestra Señora era más poderosa que su dios-serpiente. El sentirse libres de la obligación de sacrificar seres humanos fue también un factor importante para su conversión.

12. Sobre su cabeza, inclinada hacia la derecha, y encima, sobre su manto, está una corona de diez rayos o puntas de oro, de figuras ahusadas hacia arriba y anchas abajo.

13. El rostro de la Imagen no tiene los rasgos de una indígena o de una española, sino de una mestiza. Su tez "morenita", sus mejillas sonrosadas, están anunciando la aparición de una nueva raza formada por la mezcla de mexicanos y españoles. Su faz mestiza profetiza la unión de las dos razas.

14. Sus ojos, muy vivos: uno espera que se muevan en cualquier momento. Verdaderamente el rasgo distintivo está en los ojos, que no se ven pintados, sino realmente vivos; ojos con todas las características de los ojos humanos. Nuestro Señor grabó el retrato de María con tal fidelidad que hasta en los pequeños reflejos de sus ojos quedaron retratados Juan Diego y las otras personas que estaban

ante ella en ese momento. Esto se ve claramente en la amplificación fotográfica de todos los estudios científicos que se han hecho al respecto (Cfr *Capítulo* 14).

15. Su pelo de ébano se extiende encuadrando la bendita faz.

16. Por primera vez no aparece blanca. Es "morenita" como los mexicanos. El rostro luce oscuro, en un tiempo en que los artistas solían iluminar el rostro en sus obras de la faz humana. Ella sabía que el habitante de Mesoamérica no conocía el arte europeo, y por eso tomó todos los elementos de la cultura autóctona. Además, la luz o la parte más iluminada es el vientre, pues se presenta como una jovencita embarazada. Es notable, porque el tiempo es *Adviento,* y viene a México a dar a luz a su Hijo Jesús.

17. Nuestra Señora luce sólo una joya: sobre su cuello lleva un broche dorado que tiene una cruz negra en el centro. La misma que vio la princesa Papantzin en el ángel y en los barcos de Hernán Cortés. Esto enseñaba a los aztecas que ella, Cortés y los misioneros, profesaban la misma religión. Y aquí encontraron una razón poderosa para aceptar la fe católica que los misioneros les predicaban. Este detalle dice de qué modo vino ella a traer la verdadera religión a los habitantes de este Continente.

18. La hermosa Señora tiene manos gentiles, bellísimas, y se nota enseguida que no es una diosa, porque las lleva juntas, en actitud de oración, mientras que su cabeza, inclinada, hace reverencia a Alguien superior: al Señor Creador del mundo, el Todopoderoso, que es su Hijo.

19. Al ver esta Imagen vestida de rosa y azul jade, colores preferidos por sus dioses y reyes, y en el encaje de su vestido adornos de flores, figurando sus cantos, y el juego de florecillas que suben y bajan, haciendo referencia a la poesía náhuatl ("flor y canto"), leían los aztecas que ella era la Reina del Cielo y la Verdadera Madre del Hijo de Dios, por quien se vive.

20. Junto al vientre de la Madre resalta la "única flor de cuatro pétalos" (en todo el vestido es singular esa flor), la cual hace referencia al centro del universo, la flor de la vida: *Xolozóchitl.*

21. La luz en la Imagen procede de su vientre, María se aparece como una mujer embarazada: Jesús está por nacer; viene la Reina del cielo a dar a luz a Jesús en México.

22. Ropaje saliente rosado, bermejo, en las sombras bordado con diferentes flores, todas en botón y con los bordes dorados (observar que tiene mucho de dorado: flores, rayos, estrellas, etc.). Además, se

asoma otro vestido blanco y blando, que ajusta bien en las muñecas y tiene deshilado el extremo.

23. El cuello y los puños están afelpados con armiño blanco, señal de que va a ser madre.

24. La cinta negra alrededor de la cintura es una prenda que usaban las mujeres aztecas cuando estaban embarazadas.

25. El manto sienta bien en su cabeza y nada cubre su rostro y cae hasta los pies, ciñéndose un poco por en medio; tiene toda su franja dorada, que es algo ancha, y estrellas de oro por doquier, las cuales son 46, repartidas 22 en el lado derecho y 24 en el izquierdo, formando una cruz cada cuatro de ellas. Es de color azul verde claro. A los aztecas este color, y el filo dorado del contorno, les hablaban de su linaje real.

26. Las estrellas de su manto significaron a los aztecas que ella es más poderosa que las estrellas del cielo, a las que adoraban como dioses. En efecto, tenían a Huitzilopochtli —dios de la guerra— a quien también le habían erigido pirámides y templos y le habían ofrecido miles de sacrificios. Leyeron la respuesta que buscaban en el manto de la Virgen, tachonado de estrellas, y comprendieron que las estrellas habían sido creadas por el Verdadero Dios, para que sirvieran a los hombres alumbrándoles y orientándoles de noche.

27. Solamente su pie derecho descubre un poco la punta de su calzado, color ceniza. Está pisando una luna negra en cuarto creciente, que simboliza al maligno. De pie sobre la media luna, es más poderosa que ella, y eso también alude al pensamiento mestizo de la Inmaculada Concepción, Patrona de varias naciones (Gén 3,15).

28. Abajo, un ángel sostiene sus vestiduras, para indicarnos su procedencia celestial. Este ángel se muestra muy contento de transportar a la Madre del cielo; el ángel luce como si se asomara de entre las nubes que forman el contorno de la Imagen, y sostiene con una mano la extremidad del manto (como la indígena carga atrás a su hijito, la Virgen nos trae atrás a nosotros, sus hijos), y con la otra mano la túnica, que en largos pliegues cae sobre los pies.

29. Después de muchas guerras, los aztecas terminaron, en 1440, de construir en el Tepeyac una pirámide para dar culto a la madre de los dioses, Tonantzin. Más de 90 años duró el culto a esa diosa de la discordia, y en su pirámide fueron sacrificados cientos de personas. La Virgen de Guadalupe eligió el Tepeyac, para dar a entender que ella es la Madre del Dios verdadero, y al hablarles en su propia lengua de amor, auxilio, protección y defensa, se dieron cuenta que tenían que acabar las guerras fraticidas y tratarse como hermanos,

pues el amor a Dios y al prójimo es lo esencial. Vino a salvar a sus hijos perdidos en las tinieblas de la idolatría.

30. La Virgen, en su aparición de Guadalupe, no dice que se haga... como en el Bac en la aparición de la Milagrosa, que se acuñe una medalla, o en Lourdes... o en Fátima. Aquí en México ella misma se queda en el ayate usado, cosido, diviso, burdo. Dejó —y se siente— su presencia entre nosotros.

31. Esta Imagen es el portento más sublime que haya acontecido desde los tiempos apostólicos.

32. Para nuestros antepasados la Imagen de la Santísima Virgen fue toda una revelación y evangelización. El sol, la luna, el cielo y las estrellas, símbolos de sus dioses, están ahora al servicio de la Madre del verdadero Dios por quien vive.

33. La aparición Guadalupana, con todo su código autóctono, resucitó a la raza azteca que se había entregado generosamente a sus divinidades. En efecto todos sus dioses y diosas —Huitzilopochtli, Tezcaltipoca, Quetzalcóatl, Tonantzin, Coatlicue, Xochiquetzal, etc.—, quedaron simbolizados en la aparición.

34. Por esto los aztecas apagaron sus fuegos en los altares y ya no se oyó el lúgubre sonido del *teponaxtle,* que anunciaba los sacrificios humanos.

35. Así sucedió al sonar la hora de Dios para las dilatadas regiones del Anáhuac. Acababan apenas de abrirse al mundo, cuando a orillas del Lago de Texcoco floreció el milagro.

36. A cuantos pidan una señal del milagro basta responderles como lo hizo Juan Diego, cuando al desplegar su manto y cayeron las rosas por el suelo, que dijo tan sólo al obispo Zumárraga: "¿Quieres una prueba? Tómala. ¡Hela aquí!"

Y terminamos con lo que le dice Juan Pablo II:

Tú que has entrado tan adentro en los corazones de los fieles a través de la señal de tu presencia, que es tu Imagen en el santuario de Guadalupe; vive como en tu casa en estos corazones, también en el futuro.

Sé una de casa en nuestras familias, en nuestras Parroquias, misiones, diócesis, y en todos los pueblos.

Te ofrecemos todo este pueblo de Dios. Te ofrecemos la Iglesia de México y de todo el Continente. Te lo ofrecemos, es propiedad tuya.

Reflexión, trabajos, compromisos

1) ¿Por qué se dice que la Imagen de la Virgen de Guadalupe es un catecismo?
2) ¿Por qué es también un códice náhuatl?
3) ¿Qué se lee especialmente en este códice?
4) ¿Qué significado tiene el sol en la Imagen?
5) ¿Qué ídolos adora nuestra sociedad de hoy, y cómo hay que desterrarlos?
6) ¿Quién está simbolizada en su rostro?
7) ¿Qué contenido de interpretación tienen sus ojos?
8) ¿Qué significado tiene para ayer y hoy el broche de oro de la Guadalupana?
9) ¿Qué representa su rostro inclinado y sus manos juntas?
10) ¿Qué signos nos demuestran que está embarazada, y qué se deduce de ello?
11) ¿Cuáles son los significados de su manto?
12) ¿Qué nos demuestra la Virgen al escoger el Tepeyac para su aparición?
13) Toda esta simbología de la Imagen, ¿a qué nos compromete con nuestro mundo de hoy?

MILAGRO DE LA PINTURA, EN LA IMAGEN DE LA VIRGEN DE GUADALUPE

1. Se tiene noticia de dos copias de la tilma, fechadas por lo menos en 1540. Una de ellas en la ciudad de Guatemala, estudiada por el historiador Estrada, y la otra en la ciudad de Puebla. Esto habla en favor de la antigüedad e integridad de la imagen ya que al ser copias muy tempranas, confirman la existencia del original en los años treinta, con las mismas características de la actual. Es decir con rayos del sol, luna, brocado de flores, estrellas y ángel. No se comprueba, pues, la opinión que señala que estos detalles son producto de añadiduras en las postrimerías del siglo XVI.

2. Como se ha señalado por varios grupos de expertos que la han examinado, la tela no tiene la preparación necesaria para recibir los pigmentos. Las reglas de las escuelas renacentistas de pintura recomendaban la utilización de un aparejo para soportar los colores, preparar y favorecer la recepción de las tintas. Podía ser una pared, madera o lámina de cobre. Hasta una época tardía fue de tela y recibía un aparejo con yeso y ceniza que pudiera facilitar la tersura de la superficie para pintar.

3. Con respecto a los colores utilizados en Anáhuac se mencionan los de origen vegetal obtenidos de plantas de la región, como carmín, amarillos, azules, dorados, rojos y negros. De procedencia mineral como negro, blanco o amarillo y otros obtenidos de animales, que se mezclaban o eran aplicados solos para obtener una gran gama de matices.

4. Con respecto a los aglutinantes utilizaron aceites de chía, de cacahuate, agua o baba de nopal. Ni estaban muy preocupados por los volúmenes, por la perspectiva ni por la composición. Sus inquietudes se dirigían sobre todo a problemas filosóficos, religiosos, geográficos o mágicos al utilizar la línea, el color y el simbolismo.

Por parte de los españoles es bien conocido el empleo de otro tipo de pigmentos, aparejos, soportes, disolventes y aglutinantes.

5. En la Imagen de la Virgen se aprecian por lo menos procedimientos de temple, aguazo, óleo y dorados en los rayos, las estrellas y la fimbria. Esto implica la utilización de diferentes tipos de técnicas, aglutinamientos, colores y disolventes. Llama la atención que el tipo de aparejo para cada una de las técnicas mencionadas tenía también que haber sido diferente para proporcionar bases adecuadas a las pinturas que iban a recibir. Con respecto a estas últimas, se identifican en la tilma algunas de ellas, pero a otras no se puede atribuir origen animal, vegetal o mineral a pesar de investigaciones modernas dirigidas a tal fin.

6. La aspereza del tejido, los nudos de trama y la presencia de la costura vertical son de poca ayuda para, sin un aparejo definido, llevar a buen fin cualquier trabajo delicado de pintura.

7. Con respecto a las partes doradas, en algunos sitios tienen base de yeso y en otras carecen de ella. Pueden apreciarse realzadas o ahuecadas. Su manufactura contradice también los cánones marcados por Cenini. Las precarias condiciones de su realización contrastan radicalmente con la destreza de los pintores españoles y de los *tlacuilos* de la época, con la rigidez de las condiciones para entrar en los gremios de la pintura, con la maestría de la composición y con la belleza de los resultados.

8. Tan burdo material, impropio para retener cualquier pintura, no recibió ningún preparado. Todo pintor sabe lo difícil que es pintar sobre una superficie no apta, sin aparejo que la disponga, no sólo para evitar las molestias de los hilos, sino para impedir que los colores se pasen o diluyan a través del lienzo.

Ya en 1666, siete de los más reconocidos pintores de la época se asombraron al certificar que sobre un ayate ordinario y sin preparado alguno pudiera haberse pintado y pudiera conservarse tal Imagen, entonces por espacio de 135 años. Hoy se añaden 326 años más (a diciembre de 1992. n. d. c.).

9. Las comisiones anteriormente citadas coinciden en resaltar la perfección y hermosura del dibujo, la simetría y placidez de sus líneas, muy superior a todo lo que había y era posible en el México de 1531 (y por los estudios modernos de 1911), cuando los indígenas no conocían aun las técnicas europeas y los españoles eran conquistadores, muy ocupados en lo suyo.

10. Como arriba se apuntó, exámenes posteriores al cuadro han dado a conocer que en él se reúnen cuatro técnicas o clases de

pintura: *Óleo:* cabeza y manos. *Temple:* túnica, ángel y nubes. *Aguazo:* el manto, y *Labrada al Temple:* fresco italiano para el campo donde terminan los rayos. Este hecho de las cuatro especies de pintura emocionaba ya mucho a Cabrera y a sus coetáneos, entendidos en la materia, pues cada especie requiere una técnica y preparado distinto, y nadie los hubiese usado en un cuadro de tan pequeñas proporciones.

El óleo necesita aparejo especial, para la fijación de los aceites desecantes; el temple una goma, cola e ingredientes parecidos; para el aguazo hay que humedecer el lienzo por detrás, lienzo que ha de ser blanco y delgado, no un grueso y oscuro ayate. En cambio, el fresco italiano requiere materia firme sólida: madera, pared, etc., y obra empastando y cubriendo mientras se pinta.

11. El oro o dorado que hay en los perfiles del vestido, en las 46 estrellas, en los arabescos y en los 129 rayos de sol que rodean el cuerpo de la Virgen, "es el oro de que se viste" la Guadalapana: asombro que sorprende a los miles de peritos artífices, porque es extraño y tiene una rara apacibilidad de color, tan igual con la soberana pintura, que "no se podría hallar en lo humano especie de oro tan exquisito".

El Lic. Manuel Garibi, otro tenaz examinador de la pintura, resume así lo extraordinario del dorado, su finura y su transparencia, ya que a través del oro se aprecian bien los hilos del ayate:

"Otra prueba de lo mismo consiste en que el dorado es transparente y debajo se ven los hilos del ayate. Y como no hay ningún metal que sea transparente, ni lo son el cobre y el oro elementos indispensables al hombre para ejecutar un dorado (hecho con cobre si es corriente, o con oro si es fino) ese dorado dotado de transparencia no puede ser obra humana".

12. Sobre la técnica hay un arabesco que intrigó grandemente al excelso pintor Cabrera y que en realidad no acertó a explicar con plenitud. Dice él mismo en su estudio pictórico de 1756: *"Tiene la Santa Imagen dorada la túnica con unas flores de extraño dibujo: compónense éstas de una vena de oro, con la singularidad de que ésta no busca las quiebras de los trazos o cañones, sino que está seguida, como si fuera sobre cosa plana. En la labor de la técnica (el arabesco que estudiamos) advertí un rarísimo primor: consiste en que está perfilada por el contorno y dintorno, cosa que hallo por imposible que ningún hombre hiciera. Porque es el perfil como el grueso de un pelo poco más y éste tan igual y con tal aseo y primor que sólo acercándose se percibe. Por cuya dificultad es imposible ejecutarlo en el modo que se ve".*

13. Efectivamente, hoy las placas infrarrojas no dejan dudas sobre el fino contorno y dintorno que perfila el arabesco. Dado lo tosco y burdo del ayate, que no tolera exquisiteces posibles en superficies más suaves y preparadas, este arabesco es una prueba del origen no humano de la pintura. En cuanto a la perplejidad del eminente pintor que no acertaba a explicarse por qué las flores no se acomodaban a los pliegues de la túnica, parece suficiente explicación el que las flores estaban sobre un vestido de seda transparente (de nylon en lenguaje moderno), e independiente o distinto de la túnica.

14. Un misterio más: en 1936, el Dr. Ricardo Kuhn, Premio Nobel en química e investigador del Instituto Emperador Guillermo de Heildelberg, Alemania, hizo el análisis químico de dos fibras del Ayate, una roja y otra amarilla. Su dictamen fue el siguiente: "En las dos fibras analizadas, no existían colorantes vegetales, ni colorantes animales, ni colorantes minerales". **¡Es una pintura... sin pintura!**

15. Dos destacados científicos norteamericanos, el Doctor en ciencias, y además pintor, Phillip S. Callahan, y el maestro de arte, Jody Brant Smith, realizaron una serie de estudios de la Imagen con fotografía al infrarrojo.

Concluyeron diciendo que tomando en cuenta las técnicas pictóricas del Renacimiento, por el ayate sin preparación alguna, y la belleza de la Imagen misma, y en especial del rostro, debe considerarse a la Guadalupana como una pintura científicamente inexplicable y, por tanto, no hecha por mano humana.

16. La Sagrada Imagen estuvo 116 años sin resguardo de cristales, expuesta a todas las inclemencias propias del ambiente: las negras emanaciones de velas, cirios y veladoras; sufriendo la continua frotación de millares de lienzos, medallas, rosarios, estampas y manos que la tocaban... Con esto la pintura y el ayate debían haberse ennegrecido y acabado completamente.

Hasta 1647 la protegieron con dos vidrios venidos de España. En 1766, el Duque de Alburqueque envió otro cristal de una sola pieza para guardarla mejor.

Actualmente está montada en tres cuadros: uno de oro de 12 cms., otro de plata de 12 cms. Y otro de bronce de 36 cms.

17. El 14 de noviembre de 1921, un enemigo de la Santísima Virgen puso dinamita en una ofrenda floral. El estallido demolió las gradas del altar, los floreros, los candelabros, rompió vidrios de las casas próximas a la Basílica; se dobló un crucifijo de latón... pero nada le pasó ni siquiera al cristal de la Sagrada Imagen.

Ni los fenómenos de la naturaleza ni los enemigos de la Santísima Virgen han podido causar daño alguno a la maravillosa Imagen.

18. La Imagen de la Virgen ha sido probablemente sometida a varios ajustes con el objeto de facilitar su exposición al público. Se tiene la impresión de que se le han hecho pequeños recortes en los bordes. Por ello el lienzo no está perfectamente encuadrado. De aquí el comentario de Cabrera que toda la pintura se inclina hacia la derecha y no se encuentra dentro de la vertical.

No parece sencillo encontrar sus verdaderas dimensiones pues los ajustes a que se supone ha sido sometida, han hecho variar la posición real de las esquinas. Para resolver este problema y realizar comentarios sobre la composición, se ha partido de la hipótesis que la costura que une a las dos mantas que forman la tilma tiene que señalar una línea central en el cuadro. Constituiría al mismo tiempo un eje vertical del cual puede encontrarse con exactitud las perpendiculares y paralelas que forman las partes superior e inferior, así como los bordes laterales. Con estas ideas y al principio mediante pequeñas aproximaciones, se trazó una línea horizontal, a noventa grados y de igual longitud hacia ambos lados de la costura que presumible-mente tendría que ser el límite inferior del cuadro. Con esto fue bastante fácil construir un cuadrado perfecto que per-mitió corregir la inclinación se-ñalada por autores anteriores a Cabrera y explicada por este último. A continuación y mediante el empleo de un compás, con centro en la mitad de los lados verticales, se puede formar un rectángulo superior que permitió identificar las supuestas medidas reales de la tilma y que corresponde asombrosamente a las proporciones de un rectángulo dorado. (Ver Fig. 1).

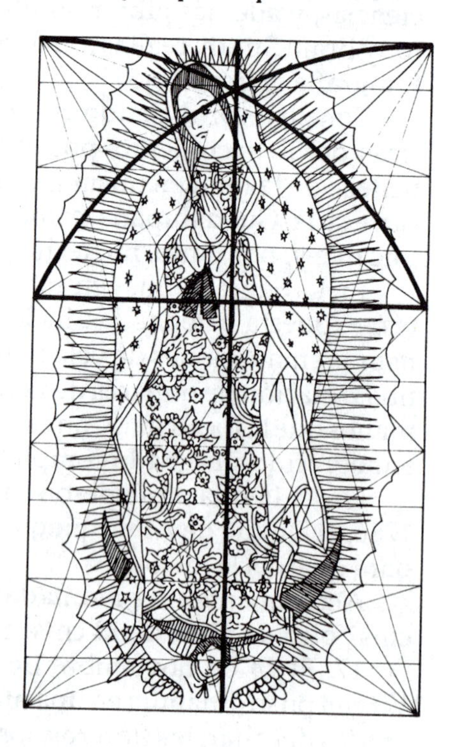

Fig. 1

19. Hay que recordar que el rectángulo dorado, áureo o divino, fue y es la expresión perfecta, universalmente buscada, para representar la armonía estética. Se encuentra tanto en obras de arte de Mesopotamia, Egipto, Grecia y Roma como en las pinturas postimpresionistas y contemporáneas.

Fig. 2

20. Esta proporción ha sido estudiada por artistas de fama mundial y en diversos países y épocas de la historia. Constituye el punto de partida de ideas filosóficas, religiosas y estéticas. Se encuentra además representada por conceptos matemáticos, como el número 6, la letra griega *phi,* y la ley de Fibornacci. Forma parte de las proporciones encontradas tanto en fotografías de galaxias como en el área de la biología. Varios caracoles y plantas se desarrollan y crecen de acuerdo a representaciones armónicas que también se encuentra en animales superiores como el hombre.

21. La composición de la pintura de la Virgen de Guadalupe presenta las medidas del rectángulo dorado. A partir de lo anterior puede trazarse otra proporción áurea en la parte superior (Ver Fig. 2), y con ello todas las líneas que posee en forma secundaria la composición dorada.

Se encuentra además que ellas pasan por sitios señalados con claridad por precisos detalles de la pintura que sólo se perciben al buscarlos con este conocimiento. De las esquinas parten líneas a 15, 30, 45, 60, 75 y 90 grados. Se trazan horizontales o verticales y siempre se encuentra su correspondencia con un elemento pictórico que despliega y confirma esta armonía. Aparecen triángulos, círculos y curvas que revelan la perfecta naturaleza de la composición (Ver Fig. 3a).

22. El balance de los volúmenes corrobora la unidad que existe entre la porción superior, marcada por la Virgen, y la inferior con los valores conjuntos del ángel, la luna y la parte horizontal de la túnica.

Aparecen además nueve puntos sobre la costura central que tienen una función particular. Sólo son notables cuando se conoce la existencia de los rectángulos áureos. El primero de arriba hacia abajo está señalado por una estrella en la cabeza de la Virgen. El segundo por una mancha negra que intercepta la sutura y el blanco del armiño del cuello. La gran porción oscura del codo flexionado marca el tercero. Menos apreciable quedaría el cuarto en el punto central del pliegue del manto, bajo la manga izquierda de la Virgen.

Fig. 3a

El quinto, centro de toda la figura, está perfectamente se-ñalado por la zona más oscura del arabesco de la flor-cerro, donde al mismo tiempo termina el pliegue que señala el muslo izquierdo adelantado. El sexto se marca con un punto bien apreciable en el original y en las reproducciones. Corresponde el siguiente al área de la rodilla izquierda de la Virgen. El octavo se localiza en otra parte sombreada donde coinciden un pliegue, el doblez horizontal de la túnica y la costura central. Por último el noveno punto es la parte central de la cabeza del ángel. A partir de estas marcas se pueden construir tres círculos al tomar como base el número 3, el 5 y el 7. (Fig. 3b).

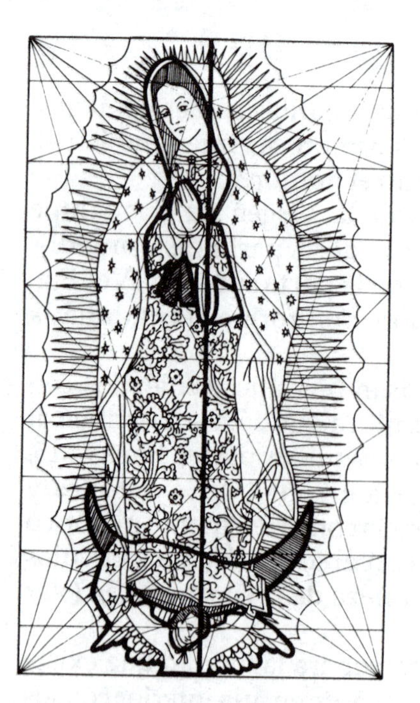

Fig. 3b

23. El círculo superior corresponde a la Virgen y el

inferior inscribe con perfecta regularidad el arco de la luna. Otro círculo trazado a partir del centro de la pintura señala su parte principal. Aquí confluyen al menos cuatro elementos que llaman la atención del espectador: las manos y los brazos que horizontales y verticales rompen la monotonía de la línea; la blancura del armiño y de la camisa; la oscuridad dominante de los extremos del cíngulo, el **Nahui Ollin,** símbolo de especial interpretación en toda la religión mexica y, dentro de toda esta superficie circular, el área más iluminada. Todo ello confirma que el personaje central de la pintura no es la Virgen en primer lugar, sino la figura de Cristo que va a nacer. (Fig. 4).

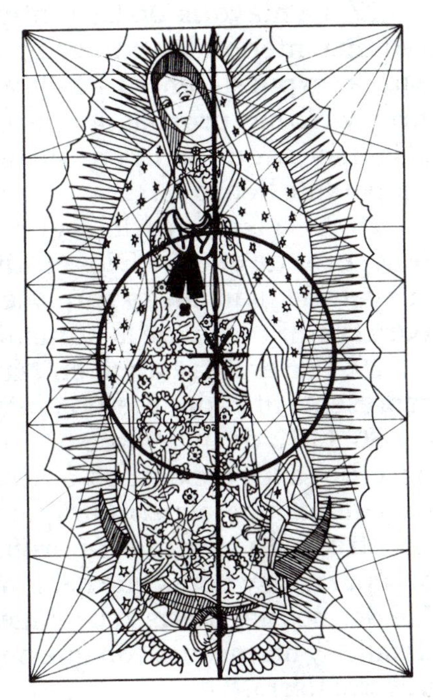

Fig. 4

24. El color rosado de la aurora del Valle de México se presenta en la túnica. El azul del cielo en el manto.

Un tinte apiñonado en la tez de la Virgen. El resplandor amarillo del sol en su espalda, con el dorado de los rayos.

Grises en la luna. Rojos, amarillos, magenta y azules en el ángel, así como en la elipse de las nubes y en el resto del fondo. Se puede así valorar el colorido que en conjunto con la pureza de la línea confiere a la figura un valor estético bellísimo (**Histórica,** *op. cit.* Dr. Juan Homero Hernández Illescas: *Estudio de la Imagen de la Virgen de Guadalupe, breves comentarios).*

25. Los anteriores son algunos puntos de los dictámenes que sobre la pintura han ido haciendo pintores, químicos, doctores, notarios y otras personas eminentes por su ciencia y autoridad; no supieron explicar por leyes naturales el origen y conservación de este ayate, tan bello, que Benedicto XIV exclamó al verlo: "Imagen tan hermosa jamás nos ha sido dado ver sobre la tierra..."

26. Se pone de manifiesto la forma totalmente inadecuada en la que desde el punto de vista de técnica artística se ha llevado a cabo esta pintura.

27. La mayoría de las pinturas tienen la firma del artista en la esquina inferior. La extraordinaria pintura de la Santísima Virgen María, expuesta en su Basílica en la ciudad de México, está sin firmar. No hay pruebas de que mortal alguno la haya realizado. Pero sí las hay de que nadie en esta tierra la pudo haber plasmado en tan inoperante lienzo.

28. A estas alturas del segundo milenio, estamos más plenamente seguros de que fue Dios el autor de dicha pintura, estampada en el ayate de Juan Diego para la exaltación de su Santísima Madre y para la edificación de la humanidad.

29. Por eso hay aquí, en México, un cuadro muy antiguo que representa al Padre Eterno pintando a la Virgen de Guadalupe.

30. El 12 de diciembre de 1531, la Providencia Divina se dignó hacernos a los mexicanos, a América Latina y al mundo entero, un obsequio único, al permitir que la Santísima Virgen se quedara con nosotros para siempre. Y porque los que se aman se dan su retrato al separarse, y flores que hablan de belleza y amor, así la Madre de México nos dejó rosas y su Imagen auténtica y original, con todos los detalles y hermosura con que quiso ataviarse a la hora de su visita a nuestra tierra.

31. Artísticamente es una verdera obra de arte. Ninguna otra imagen le aventaja en hermosura, esplendor y realismo. Desde los tiempos apostólicos, y a nivel mundial, este celestial retrato de la Virgen Inmaculada del Tepeyac es la prenda tangible más notable que poseemos de María Santísima.

32. Además, es un cuadro que no tienen perspectiva, desde cualquier lugar que se vea, sea desde el atrio o en la Basílica, la persona, cercana o lejana, la ve igual, sin perspectiva.

33. La figura de Nuestra Señora es de un metro cuarenta y tres de alto. A veces se ve más alta por los efectos de la luz que se refleja en ella. Su porte es de graciosa joven. Su tez tritícea, sus mejillas sonrosadas, sus ojos bajos, pero tan vivos que uno espera se muevan en cualquier momento. Su pelo como ébano y sus manos gentiles. Es el tesoro más grande que posee cada mexicano.

Reflexión, trabajos, compromisos

1) ¿Tiene la Imagen alguna añadidura en su pintura?
2) ¿Existe alguna preparación en el ayate para la pintura?
3) ¿Qué técnicas de pintura se pueden apreciar en la Imagen de la Virgen de Guadalupe?
4) ¿Qué manifiesta el dorado de la pintura?
5) ¿Qué se observa en el arabesco de la túnica?
6) ¿Qué nos hacen notar las placas infrarrojas?
7) ¿Respecto a la pintura, qué nos dice, en 1936, el Premio Nobel de Química?
8) ¿Qué es el rectángulo dorado?
9) De las características del rectángulo dorado, explica una que más te ha llamado la atención en el cuadro de la Guadalupana.
10) ¿Cómo vas a agradecer a Dios este maravilloso regalo?

LOS OJOS DE LA VIRGEN DE GUADALUPE

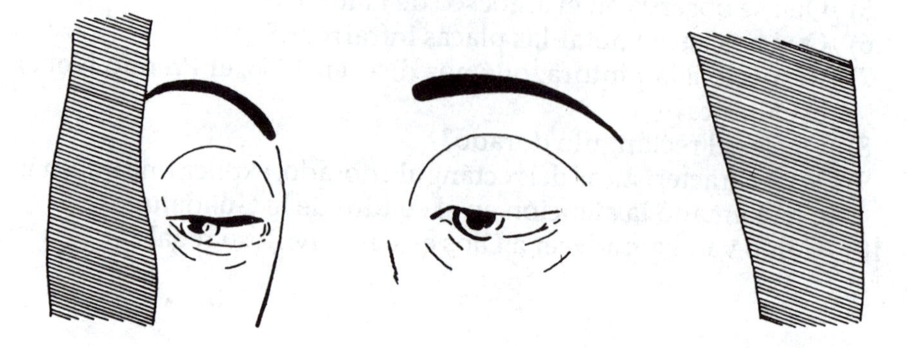

En mayo de 1951, el dibujante Carlos Salinas empieza a estudiar un busto humano descubierto en los ojos de la Virgen. Para ello examina fotografías tomadas a la Imagen directamente, y al tamaño natural.

En la córnea de los ojos de la Imagen original se encuentra perfectamente situado un reflejo de un busto humano, con la distorsión óptica natural de un ojo a otro.

El entonces Arzobispo de México, D. Luis María Martínez, nombró una comisión para que estudiara el fenómeno. El 11 de diciembre de 1955, víspera de la Solemnidad de Nuestra Señora de Guadalupe, los mexicanos se asombraron al saber, por la radio, que los ojos de la Imagen Milagrosa tienen reflejada la figura de un hombre identificado positivamente como Juan Diego.

Reconocidos oftalmólogos de México y E. U. Profundizaron en este estudio, descubriendo en el cristalino de los ojos dos reflejos más.

Todos los reflejos están situados conforme a las leyes ópticas de Purkinje-Sanson, de manera perfectísima.

Resulta sorprendente saber que reflejos como éstos son imposibles de obtener en una superficie plana y opaca como es la sagrada pintura.

Igualmente es sorprendente el hecho de que al enfocar una fuente luminosa sobre estos reflejos, se hacen brillantes, y el iris se llena de luz dando la impresión de vitalidad a los ojos de la Virgen.

Carlos Salinas (y otros expertos, como el Dr. Wahlig), hizo una contraprueba tomando fotografías a una mujer, teniendo enfrente, a unos 30 cm., a otra persona, resultando reflejos similares a los de la Sagrada Imagen.

Tal vez cuando Juan Diego entregó al obispo la señal pedida, las variadas y exquisitas rosas, que había cortado de la cumbre rocosa en pleno invierno, y la Imagen apareció en su ayate, la misma Virgen María estaba presente invisiblemente en la sala episcopal, mirando a Juan Diego, al obispo Zumárraga, al intérprete o a una tercera persona en la sala. En este momento nuestro Señor grabó el retrato exacto de María, con tal fidelidad, que hasta en los pequeños reflejos de sus ojos quedaron retratados Juan Diego y las otras dos personas que estaban ante ella en ese momento.

En los últimos años, el peruano Dr. Jóse Aste, especialista en computación, ha realizado estudios del iris de los ojos de la Santísima Virgen, digitalizados por computadora. Ha logrado ampliaciones del iris hasta de 2,500 veces su tamaño original.

El propósito de este estudio es investigar los posibles personajes e imágenes que estuvieran grabados en los ojos de la Virgen de Guadalupe, utilizando para ello las ventajas del proceso digital.

Como en los ojos de una persona viva sólo se reflejan imágenes en los iris, el estudio se concentra en analizar los dos iris de los ojos de la Virgen del Tepeyac.

Han sido muchas las fotografías que sirvieron para llevar a cabo el estudio; todas ellas fueron tomadas directamente de la Imagen original y, la mayoría, sin el vidrio protector. Se trabajó con fotografías de los ojos, tanto en blanco y negro como en color; algunas de ellas en positivo, y otras en transparencias o negativo.

De acuerdo al momento del estudio, así como al tamaño y detalle de lo que se quería observar, se prepararon ampliaciones que van desde treinta hasta dos mil veces de su tamaño original.

Iris Izquierdo

En la fotografía amplificada del iris izquierdo, de izquierda a derecha aparecen los siguientes personajes: indígena de cuerpo entero sentado; posiblemente los rostros del obispo Juan de

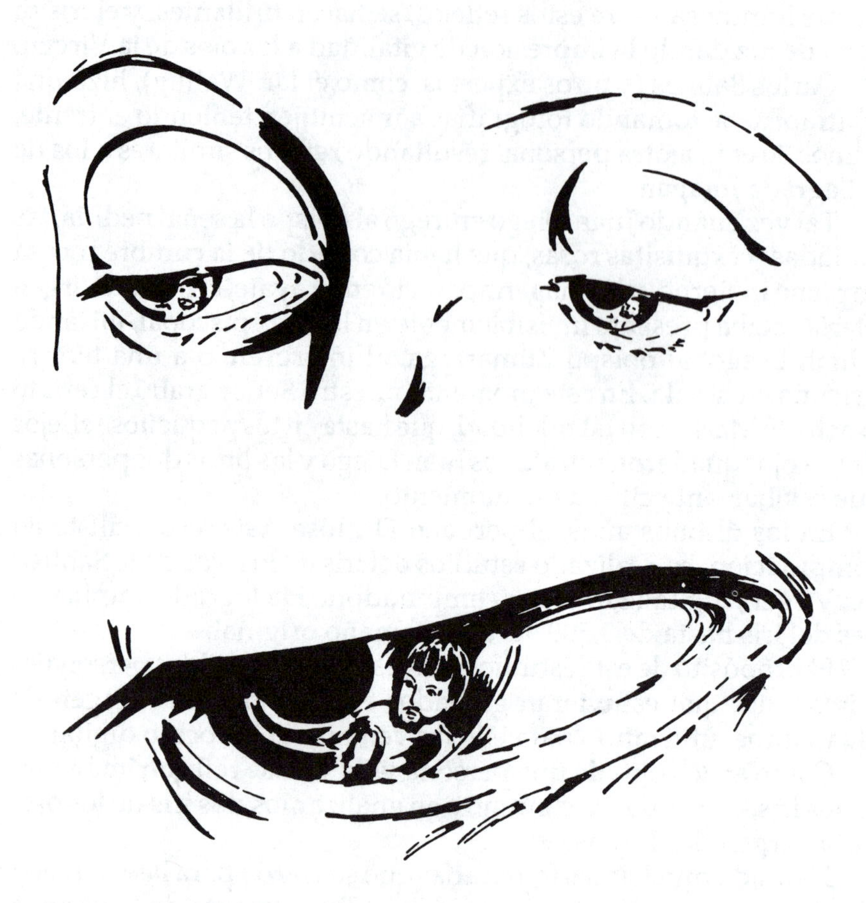

Zumárraga y del traductor Juan González; Juan Diego con sombrero, desplegando la tilma; el pecho de una negrita y un español con barba; al centro una familia indígena.

La cara amplificada del obispo Zumárraga deja ver: su calvicie, nariz recta, barba blanca, cejas y hueso malar protuberante, ojos y mejillas hundidas. Al costado de la nariz se aprecia lo que pudiera ser una lágrima.

Inmediatamente a la izquierda de la cara del anciano aparece otra figura perteneciente a una persona muy joven. Es notable la naturalidad de las expresiones de ambas caras. Dada la cercanía al obispo, la posibilidad que sugiere el Dr. Aste es que este joven podría ser el traductor. Porque sabemos que el obispo Zumárraga no hablaba náhuatl y que Juan Diego a su vez no conocía el español: por tanto, es lógico suponer que se requirieron los servicios de un traductor que pudo haber sido Juan González, muy joven en esa época.

El grupo familiar indígena: efectivamente, en el centro del iris se aprecia la presencia de una mujer muy joven; un hombre luciendo un sombrero, el cual parece que estuviera conversando con la mujer; unos niños aparentemente controlados por la mujer; y, además, un hombre y una mujer que observan la escena. De este grupo, el personaje más notorio, por su ubicación y tamaño, es la joven. Presenta rasgos muy finos y tiene sobre los cabellos una especie de tocado o sombrero que termina en un adorno circular. En la parte superior de la cabeza luce algo parecido a una peineta. Un detalle de lo más interesante de esta joven es que parece tener sujeto en la espalda un bebé, sostenido por el rebozo, como aun se acostumbra entre algunas indígenas.

El tamaño de este último grupo es muy pequeño y no está en proporción con los otros personajes que se vislumbran en el iris. Existe una serie de particularidades que hacen de este grupo la parte que podríamos considerar como de mayor interés en todo el iris. Por las razones siguientes:

1) El grupo se encuentra ubicado precisamente en el centro de la pupila izquierda, tal y como sucede en la pupila derecha. Sabemos que si bien en un momento dado podemos tener varias imágenes en nuestros iris, aquéllas que se encuentran en nuestras pupilas serían las que estamos viendo.

2) Los individuos presentes en el grupo parecen no guardar relación con las otras personas descubiertas.

3) Comparando los tamaños de las imágenes del grupo, con las del anciano y su acompañante, estos últimos debieron estar más cerca de los ojos de la Virgen. La pregunta se impone: ¿Cómo es que no ocultaron con sus cuerpos las figuras de aquéllos?

La hipótesis sugerida es de que este pequeño grupo podría corresponder a una especie de mensaje. En este caso es de mucho interés considerar que de existir realmente este "mensaje", sin duda fue destinado a nosotros, ya que tuvieron que pasar 460 años para que el desarrollo de la tecnología actual nos permitiera descubrirlo.

Analizando todo el conjunto del iris izquierdo encontramos

imágenes que parecen formar parte de dos escenas: la grabación de la Santísima Virgen de Guadalupe en la tilma de Juan Diego, y el grupo familiar indígena. En la estampación del ayate, casi todas las personas se ven muy atentas contemplando la tilma que está siendo desplegada por Juan Diego. Es de notar sin embargo, que el indio semidesnudo que aparece sentado en el extremo derecho, da la impresión de que estuviera observando al propio Juan Diego. Una explicación de semejante actitud sería la importancia que debió significar, para dicho indígena, ver a otro indio que dejaba maravillados a tantos españoles.

Por la narración del milagro del Tepeyac, sabemos que Juan Diego tuvo que esperar tiempo antes de ser recibido por el obispo Fray Juan de Zumárraga. Durante este lapso los empleados del obispo notaron que algo extraordinario rodeaba a aquel indio y su tilma, en la que guardaba unas flores poco comunes. No es de extrañar, pues, que la curiosidad haya hecho que, cuando finalmente fue recibido por el obispo, todos los que se encontraban en la casa hayan querido asistir a este acto. De hecho las propias narraciones nos dicen que se encontraban varias personas en el momento de la aparición. Estas mismas narraciones nos explican muy claramente que la grabación en el ayate se produjo en el momento en que Juan Diego dejó caer las flores delante del obispo y de las personas que se hallaban en ese instante en la casa.

La hipótesis es la siguiente: en el momento en que Juan Diego fue recibido. La Virgen se encontraba presente, invisible para los que allí estaban, pero viendo toda la escena y, por tanto, reverberando en sus ojos las imágenes de todos los asistentes, incluyendo a Juan Diego.

Cuando las flores cayeron y la tilma se desplegó, se grabó en ella la Imagen de la Virgen, tal como estaba en ese instante: es decir, llevando en sus ojos el reflejo de todo el grupo que observaba este histórico y maravilloso suceso. De esta manera, la Virgen María nos dejó una "instantánea" del hecho de su estampación milagrosa en el ayate de Juan Diego.

Aun con la tecnología actual es prácticamente imposible poder pintar tantas imágenes, con detalles tan minuciosos, como las que han sido descubiertas en los iris de los ojos de la Virgen, en el ayate del Tepeyac.

Recordemos que el diámetro de esos iris es apenas de 7 u 8 milimetros, y hay que enfatizar, además, el material tan burdo en el que está grabada la Imagen.

Como el Dr. Aste lo ha comprobado con fotografías de personas vivas, el uso de las técnicas del proceso digital de imágenes permite "descubrir" a las personas que se encontraban directamente enfrente del sujeto fotografiado y en cuyos iris quedaron reflejadas sus imágenes.

El ojo derecho

Principales personajes que aparecen en el iris derecho de la Virgen de Guadalupe. De izquierda a derecha: cara de indígena, obispo y traductor, cara de Juan Diego, español con barba y, al centro, la familia indígena.

Breve resumen del estudio

1. Todas las imágenes encontradas se presentan en ambos ojos en distintas dimensiones, ángulos y precisión, tal y como sucedería en los reflejos de los ojos de una persona viva, guardando así las mismas posiciones relativas.

2. Al observar los personajes allí presentes, se nota la existencia de por lo menos dos escenas diferentes:

a) La que correspondería al momento en el que Juan Diego muestra la tilma al obispo, instantes antes de la estampación. En esta escena casi todas las personas aparecen mirando con suma atención la tilma que está siendo desplegada ante sus ojos; el indio que aparece de cuerpo entero se ve como si estuviera observando a Juan Diego.

b) La segunda escena, con personajes a una escala mucho más pequeña, está ubicada en el centro de ambas pupilas, y muestra a un grupo, que podría ser familiar, en el que aparece, en una posición central, una joven de rasgos muy finos que luce sobre los cabellos un extraño tocado y parece llevar sobre sus espaldas a un pequeño niño. Además de la joven, el grupo está formado por unos niños, dos hombres y otra mujer, todos ellos indudablemente de raza indígena.

Conclusiones

1. Las imágenes existen verdaderamente en ambos ojos de la Virgen de Guadalupe y aparecen con un detalle de precisión admirable.

2. Las imágenes se manifiestan en ambos ojos, en posiciones, ángulos y tamaños semejantes a los que se presentarían en los ojos de una persona viva.

3. Las escenas representadas, así como los personajes que se ven, concuerdan perfectamente con el relato histórico.

4. El tamaño de estas imágenes es tan pequeño, que sólo gracias a la ultilización de una tecnología tan avanzada como es el proceso por computadora de las fotografías, ha sido posible que las veamos y comprobemos.

5. Aun con la tecnología actual más desarrollada en el mundo, sería imposible "pintar" imágenes de esas dimensiones con la precisión de tantos detalles, sobre todo en un material tan tosco como es el de la tilma que está en el Tepeyac (*Los ojos de la Virgen de Guadalupe, Un estudio por computadora electrónica.* Dr. José Aste Tonsmann. Santa María Nonoalco, México 1987, pp 29, 31, 35, 41, 43, 48, 64, 67, 83~5, 94,135,136).

Reflexión, trabajos, compromisos

1) ¿Quién y en qué fecha fue el primero en descubrir una figura humana en los ojos de la Virgen?
2) ¿Qué arzobispo y en qué fecha nombró una comisión para estudiar el fenómeno?
3) ¿Quién es el doctor Aste y de qué es especialista?
4) ¿Qué se ha descubierto en el ojo izquierdo de la Virgen?
5) ¿Qué nos sugiere el descubrimiento de la familia indígena?
6) ¿Todo esto a qué hipótesis nos lleva?
7) ¿Qué se ha descubierto en el ojo derecho?
8) De este breve estudio, ¿qué conclusiones sacas personalmente para tu vida y tu comunidad?

LA IMAGEN DE LA VIRGEN DE GUADALUPE, UN CÓDICE NÁHUATL

El Material

Hay que recordar que el material utilizado para dibujar los códices en el siglo XV y XVI estaban constituidos por la piel de venado adecuadamente preparada, de papel amate, del tejido de fibras de maguey, así como de algodón. Los trabajos más grandes se efectuaban en telas, como el de Tlaxcala, el de Jucatácato o el de Zacatepec. Los materiales más compactos se reservan a los de formatos más pequeños. En la Imagen de la Virgen de Guadalupe encontramos detalles que asombran.

Desde los trabajos clásicos del pintor Miguel Cabrera se sabe que están presentes como técnicas de pintura el temple, el óleo, el aguazo y el dorado. Callahn (Callahan P. S. Smith J. B.: *La tilma de Juan Diego, ¿técnica o milagro?* Alhambra, México 1981), comenta en abundancia la naturaleza de los pigmentos, en los que parece encontrar óxidos de fierro y de carbono, entre otros, y por último Toussaint (Toussaint Manuel, *Pintura Colonial en México,* U.N.A.M., México 1982) menciona con amplitud y enlista las pinturas supuestamente empleadas. Cita entre otras el color carmín extraído de la cochinilla; la grana cenicienta templada con greda; las pinturas obtenidas de flores amarillas y azules; el rojo del palo de Campeché; el negro de arbustos espinosos como el *huizache* o el *nacacotl;* así como el humo negro del ocote y el blanco de la tiza común, asimismo, siguiendo las fuentes de Clavijero, Alva Ixtlixóchitl y Sahagún, otros minerales de donde se obtenían varios colores. Como aglutinante oleoso empleaban el aceite de chía, de *tezahuaitl* y de *tepícatl,* obtenido este último de una piedra.

El análisis de la pintura lleva de inmediato a reconocer dos estilos entrelazados con gran finura: el *europeo* y el *mexica*. Es evidente que nuestra mentalidad occidental tiene más disposición a percibir el primero.

Por ello no es de extrañar que el concepto de considerarla como un códice haya surgido a últimas fechas, a pesar que ya se había hecho algún comentario al respecto. Sin embargo, el aprecio de los valores indígenas, el intento de estudiar su mentalidad y la comprensión de su profunda espiritualidad, hechos que hasta ahora florecen con más ímpetu, permiten suponer, con bastante probabilidad, que el lenguaje empleado por la Virgen, fue percibido con más rapidez por los mexicas, quienes identificaron prontamente sus profundos conceptos filosóficos, para reconocer con certeza a la maravillosa mensajera del Dios verdadero.

Nuestros antepasados tenían un gran espíritu religioso que fue sustituido con un profundo convencimiento por el cristianismo, ya que la Imagen milagrosa les mostró la divinidad a su manera, en su idioma, a través de sus símbolos propios y su cultura secular.

Con respecto al estilo europeo que se menciona en primer lugar, se puede decir con apoyo en la obras de Vasari, Venturi, Berenson, etc., que se aprecian en la Imagen de la Virgen reminiscencias de un gótico tardío, con detalles que parecen llegar de la escuela flamenca en la forma de los ojos.

Se encuentran las figuras de Siena y de Padua, con lenguaje de Duccio o de Simone Martini, por el testimonio del dorado de los rayos del borde de la fimbria y del brocado de la túnica. De este último se ha señalado con repetición que es plano y no sigue sinuosidades cuando se observan a la distancia adecuada y se manifiesta, bien preciso, en el tratamiento de la hoja que se contempla en la túnica, sobre su pie izquierdo.

En sí misma representa la que se describe en el *Apocalipsis:* embarazada, coronada de estrellas que aparecen también en su manto y de pie sobre una media luna.

Es la representación de la Virgen que en todo momento recuerda su vinculación con el Creador, al cual lleva en su vientre.

Con respecto a la Influencia azteca, llama la atención en primer lugar el trabajo del brocado que se desarrolla con elementos de flores, cerros y estrellas.

En fin, hay que reconocer que la Imagen de la Virgen no corresponde en definitiva al estilo de la pintura europea de principios del siglo XVI y que en ella se identifican numerosos elementos que recuerdan los códices indígenas de la época de la aparición, integrados con tal destreza al conjunto que no puede percibirse fácilmente su diferenciación.

La Clave

Malis comenta en su libro sobre interpretación de la pintura, que cuando se observa un cuadro, la vista del espectador recorre la superficie de la tela, hasta que fija su interés en una área determinada. Es habitual que este primer encuentro con una obra de arte sea señalado por el artista, por medio de efectos técnicos bien claros, para atraer la atención hacia un detalle en particular, constituido en su objetivo principal. Esto se encuentra con gran claridad en la Imagen de la Virgen. El interés se centra en primera instancia en el moño del ceñidor. Este forma un triángulo agudo de vértice hacia arriba, similar a los que aparecen en varias esculturas mexicanas y en especial en el llamado Calendario Azteca.

Rematan sus dos porciones inferiores en unos dobleces que recuerdan de inmediato las patas de una vasija de estilo azteca de la llamada época histórica.

Es así como se señala con singular énfasis una flor de cuatro pétalos con un punto central que reproduce con precisión el símbolo *quincunce*; que se identifica con el signo del *Nahui Ollin*, cuatro movimientos, que constituye el núcleo de la cosmología, la teología y la religión mexica.

Llama la atención, para resaltar la importancia de este punto, que esa flor es la única diferente a las otras que se dibujan en la túnica, y se localiza justamente en el corazón del vientre de la Virgen, aumentando de volumen por el embarazo. El resto de las flores, aisladas, en número de 8, presenta otra particularidad. A primera vista se forman en esencia por cuatro pétalos con un punto central que recuerda el *quincunce*. Sin embargo, un análisis más cuidadoso permite identificar otros cuatro pétalos más delgados que se alternan con los anteriores. Estas últimas reproducen con gran fidelidad, cuando son partidas por la mitad, la grafía del planeta Venus, propia de numerosos códices precortesianos, en especial el *Vindobonensis*. **(Ver Fig. 5).**

Por último hay que comentar que las grandes figuras del brocado cubiertas de flores, se asemejan con bastante exactitud a la grafía del cerro, *Tépetl*, tan común en los códices del siglo XVI. Algunos de ellos terminan su porción superior con una formación puntiaguda en forma de nariz, *Yacatl*, que permite articular el ideograma *"Tepeyácatl"*, tan preciado por nosotros, que ahora se encuentra cubierto de flores que vienen del cielo.

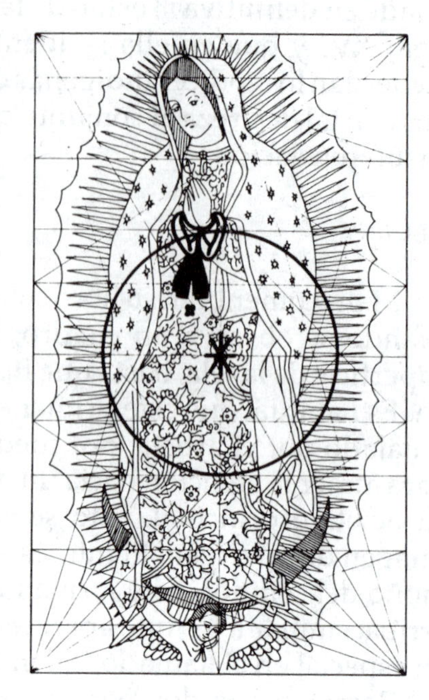

Fig. 5

Por lo menos estos tres hallazgos han constituido el punto de partida de los estudios del Padre Mario Rojas para comprobar que la Imagen se presenta en un códice que, como milagroso complemento de la aparición, debe ser estudiado con más cuidado para continuar la obra evangelizadora de la Virgen. Es evidente que el moño del ceñidor, que el símbolo del *Nahui Ollin* y del *quincunce*, que la grafía de Venus, el símbolo de los cerros y montañas, y el nombre del Tepeyac, nada tienen que ver con una pintura gótica del *quattrocento* italiano o del renacimiento español.

Por ello, resalta la importancia de considerar los elementos citados como el punto de partida para suponer que la Imagen de la Virgen de Guadalupe representa un códice que encierra gran número de mensajes.

El P. Mario Rojas expone, con gran conocimiento de causa y con más profundidad, la descripción y la interpretación de los símbolos citados. Al tomar como punto de partida el signo *Nahui Ollin*, y con la idea que representa el lugar de la antigua Tenochtitlán y en especial del Tepeyac, se pueden identificar varios accidentes geográficos que corresponden con bastante exactitud con los que se encuentran en la parte central de un mapa de México a una escala de uno a un millón. De los puntos cardinales, se identifica el Este hacia la parte superior de la Imagen, el Oeste hacia la inferior, el Norte a la izquierda y el Sur a la derecha. Precisamente como se encuentran colocadas las mismas regiones en los códices geográficos del siglo

XVI. Situación bien diferente de los mapas modernos que acostumbran colocar el Norte en la parte superior y los demás puntos como consecuencia de ello. En las dos mangas de la túnica esta la grafía de dos cerros con "algo blanco" encima: *"Izcatépetl,* que corresponde en el mapa a los volcanes *Iztlaccíhuatl y Popocatéptl.* Arriba de las manos de la Virgen se ubica la Imagen de otro cerro con "algo blanco" en su superficie que se identifica con el volcán de la *Malitzin.*

A la derecha observan una imagen que se relaciona con el cerro de la Estrella, el *Cillatépetl,* o Pico de Orizaba, y a la izquierda de la cruz está el Cofre de Perote. Hacia la parte inferior, cada uno de los elementos *Tépetl* va a estar correspõndido con accidentes orográficos de la cordillera que atraviesa del Este al Oeste la República Mexicana. La porción de la Sierra Madre Oriental que más se acerca al Golfo de México marca la localización de la cabeza de la Guadalupana. El océano Pacifico se ubica en la imagen donde el ángel sostiene a la Virgen. (Ver fotos 1 y 2).

Foto 1

Foto. 2

A partir de la identificación de estos puntos es posible continuar la correlación con las consideraciones siguientes:

El moño obscuro del ceñidor se abre con un ángulo de 47 grados, el doble de la inclinación del eje de rotación de la Tierra, y que corresponde al ángulo solsticial. Su borde izquierdo representa la dirección por donde saldría el sol en el solsticio de invierno, en el supuesto de que el observador se colocara en el sitio del símbolo *Nahui Ollin* de la Imagen. El borde derecho marca el punto donde el astro rey aparecería en el solsticio de verano; y su apertura central, la dirección donde se elevaría los días de los equinoccios.

Una vez que se encontró la concordancia de las flores y cerros del brocado de la túnica con las montañas del altiplano de la República, se puso de manifiesto la necesidad de investigar las estrellas del manto para relacionarlas con las constelaciones del cielo en el solsticio de invierno de aquel 1531.

Fig. 6

En el lado izquierdo del manto se identifican las estrellas circumpolares del hemisferio norte: La Osa mayor, los Lebreles, el Dragón, la Cabellera de Berenice y el Boyero

En la parte derecha del manto se reconoce la Cruz del Sur, el Centauro, la Hidra, el Lobo, el Escorpión, Libra y Ofiuco. En la porción inferior de la Virgen, al lado izquierdo, se encuentran tres estrellas de Tauro, que están por desaparecer en el horizonte occidental, y hacia el lado derecho, solitaria y muy brillante, luce Sirio. (Ver Figs. 6 y 7).

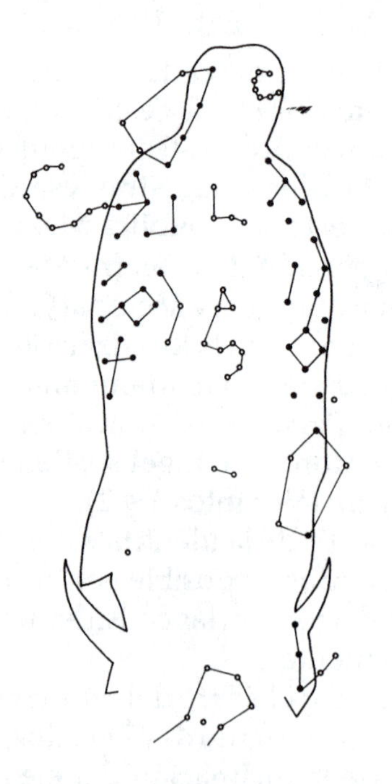

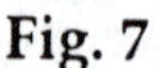

Fig. 7

Verdaderamente es atractivo pensar que las tres estrellas del manto que cubre el pie derecho de la Virgen corresponden a Tauro. Se observa arriba un cuadro semejante a la Osa Mayor y en el lado derecho se insinúa la Cruz del Sur. La localización de las constelaciones que se mencionan lleva de la mano a subrayar un hecho curioso. El manto, que representa al cielo, está abierto.

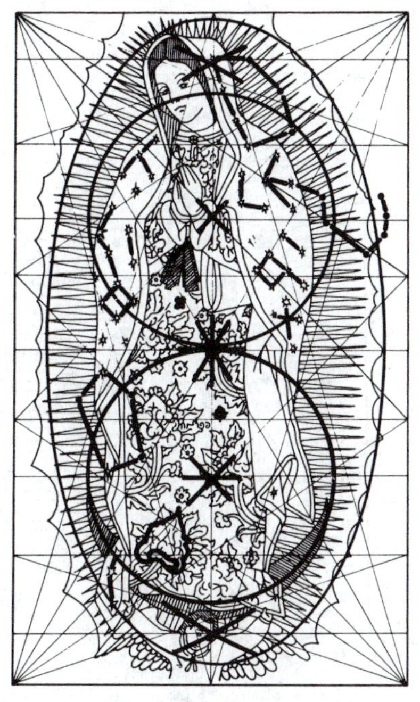

Fig. 8

A pesar de ello tienen que haber configuraciones estelares en otros lugares. Cuando se integran las dos regiones celestes, la del Sur y la del Norte, en el centro de la Imagen se ubican ciertas constelaciones de gran significado: en la parte superior de la Virgen, justo en la frente de ella, la Corona Boreal; en su seno, a la altura de sus manos, precisamente la constelación de Virgo, la Virgen (Ver Fig. 8).

Además, en el cenit del observador y sobre el signo del *quincunce*, quedaría colocada la constelación del León, que curiosamente en náhuatl se le denomina también *Nahui Ollin*.

Hacia el oeste se ubicarían los Gemelos y en lugar del ángel la constelación del gigante Orión. Así, en el cielo del solsticio de invierno de 1531, se aparece la constelación de la Virgen por el Este, culmina el León en lo más alto del firmamento y se ocultan por el Oeste las configuraciones estelares del Toro y de Orión, y el sol participa de su luminosidad a la Virgen.

Por último, la observación cuidadosa del ángel, como ha señalado el P. Rojas, se identifica con la figura de Juan Diego, ya que sin los elementos góticos de los ojos, el tratamiento de las entradas y el color del pelo, el color de su piel y la forma de la boca, lo alejan cada vez más de las clásicas representaciones de los querubines del renacimiento europeo (Ver Fig. 9).

Los cálculos del Instituto de Astronomía de la U.N.A.M. Demuestran que el solsticio de invierno de 1531 tuvo lugar el 12 de diciembre a las 10:40 horas, meridiano 90 W de Greenwich (en realidad a las 10 horas 36 minutos hora local, en virtud del despla-

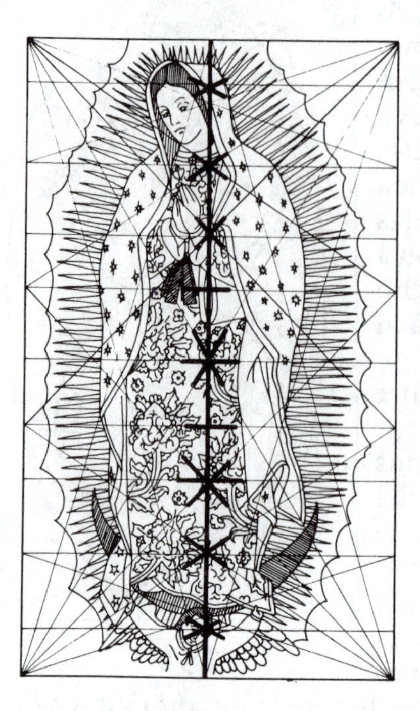

Fig. 9

zamiento de cerca de 10 días debido a la diferencia entre los calendarios Gregoriano y Juliano). Esta fecha correspondió al día Juliano No. 228061 y al día *cemiquiztli, año uno muerte,* del mes *Atemoztli* del año *Matlahtli Omei Acatl, 13 caña* del calendario mexica de Tenochtitlán, o al día *yei miquiztli, 3 muerte,* del mes *Atemoztli* del año *Ome Acatl dos caña,* del calendario mexica de Tlatelolco.

Mediante este estudio que han hecho los expertos, es posible, con un mínimo de modificaciones, correlacionar todas las estrellas del manto de la Imagen de la Virgen de Guadalupe con los principales astros que aparecen en el cielo del solsticio de invierno de 1531.

Además, cualquier persona que tenga la curiosidad de ver el cielo de invierno, cercano a la hora del solsticio, se encontrará con las mismas configuraciones estelares por muchos años.

El Mensaje

La concepción de la Imagen de la Virgen como un códice tiene implicaciones importantes. Da origen a una serie de comentarios que hacen resaltar el suceso guadalupano y en especial la participación de Juan Diego en él. Si bien es cierto que llega al Valle de Anáhuac, su presencia se percibe en toda la tierra. Si en la túnica se representa la parte central del nuevo mundo recién descubierto, su manto protector cubre todo el planeta ya que aparece a la misma hora local en todos los confines de la tierra.

Además, cada año, en la misma fecha, se repite tal fenómeno, de modo que su mensaje es universal e intemporal. Al mostrarse embarazada, está ligada en todo momento a su Hijo. Es la portadora de la Buena Nueva y lo trae consigo para darlo a conocer.

Lo hace de manera muy apropiada, ya que en el momento en que aparece en el horizonte la constelación de la Virgen, el León se presenta con todo su esplendor en el cielo cenital.

Ella habla en náhuatl y en la forma de los antiguos escritos precortesianos. De la misma forma que habló en "patois" en Lourdes y en portugués en Fátima. Sin embargo su lenguaje pertenece a todo el mundo: aparece coronada como Reina, honrada como Virgen y embarazada como Madre.

En su Imagen se encuentran señalados los principales dogmas del cristianismo, constituyéndose así en un verdadero catecismo para los pueblos recién vencidos.

Por las mismas razones es la primera evangelizadora que viene no sólo al Valle de Anáhuac, ni al nuevo mundo descubierto, sino a todo el planeta.

En este momento la tierra y el cielo lo atestiguan con gran gozo, alegría, cantos y flores.

Las características de la pintura le confieren un misterioso mestizaje que abarca todos los aspectos: del estilo, de la técnica, de la forma, de su desarrollo, del lenguaje y del espíritu evangélico. Representa, pues, la unión de dos mundos. El conocido y el desconocido. El pagano, pero muy religioso, y el cristiano pero destructor. Viene revestida de un espíritu ecuménico de gran actualidad y se convierte con rapidez en el camino natural y universal para glorificar a su Hijo.

En estas condiciones, la presencia específica de Juan Diego en la misma imagen testimonia su santidad. Lo convierte en personaje importante y primera figura durante la aparición. No sólo ella lo ha escogido como su portavoz, sino ahora, el lienzo lo coloca en un lugar privilegiado dando a conocer su afecto por él y anunciando, adelantada, su santificación.

El futuro

Este breve análisis marca la necesidad de que se continúen los estudios con la profundidad necesaria para develar otros misterios que probablemente la pintura encierra. Las estrellas sugieren notas musicales o numerales de una estela maya. Es posible que al considerar con más atención los nombres nahuas sugeridos, se continúen los hallazgos del difrasismo al que eran tan afectos los mexicas. Y con los mensajes, más poesía y más canto.

El brocado de la túnica debe ocultar más significados; los colores, de igual forma. La colocación de los cerros y de las flores; la rotación de los símbolos que recuerdan al planeta Venus; las alas del ángel y su medallón; la luna; los rayos; en fin, es bastante factible que a la luz de más estudios se comprenda más la grandeza del suceso guadalapano, y el honroso y destacado papel que en él jugó Juan Diego (*Histórica 1.* Organo del Centro de Estudios Guadalupanos, A.C. *La Imagen de la Virgen de Guadalupe: un códice Nahuatl).*

Dr. Juan Homero Hernández Illescas, pp 8-18).

Conclusiones

—La Imagen que se encuentra en la Basílica de Santa María de Guadalupe es la verdadera. No tiene añadiduras. Los rayos, las estrellas, las flores del brocado, la luna y el ángel son originales.

—Las nueve flores grandes representa montañas. *Tepetlyácatl,* que se llenan de flores venidas del cielo.

—Las nueve flores chicas de ocho pétalos, cuatro gruesos y cuatro delgados, simbolizan el planeta Venus; la estrella matutina, el único Dios verdadero, el Creador de todas las cosas.

—La única flor de cuatro pétalos, *Nahui Ollin,* simboliza el centro del universo, el único Dios verdadero, y el mismo Cristo que va a nacer.

—Está rodeada por la luz del sol.

—Las estrellas del manto se correlacionan con el cielo del momento de la aparición, 12 de diciembre de 1531, solsticio de invierno.

—La composición de la Imagen se desarrolla mediante la proporción dorada (rectángulo aúreo), que es el resumen de las investigaciones estéticas más importantes de todas las culturas de la humanidad.

—Los volúmenes, las formas, los valores, el colorido y el movimiento se conjugan con armonía y equilibrio de gran belleza.

—Las características de la Imagen, la codificación del mensaje y la belleza de la mezcla de los elementos indígenas con los europeos, afirman con claridad la misión evangelizadora de la Imagen que da a conocer de este modo a Cristo a todo un pueblo. Un pueblo que lleva evidentemente un fuerte sentido espiritual, mediante el cual intenta de continuo la búsqueda de la divinidad. Un pueblo que está representado por Juan Diego, de gran sencillez, pero con muchos valores morales y que es designado de manera contundente para ser intermediario del mensaje guadalupano.

—Al considerar la espiritualidad de los pobladores de estas tierras en sus acciones cotidianas, desde el nacimiento hasta la muerte, en sus estudios, en sus labores, en sus diversiones y en sus desgracias, se encuentra muy natural que Juan Diego haya comprendido y asimilado tan rápido la verdadera fe cristiana para dedicarse con posterioridad, con todas sus fuerzas e íntegramente, al servicio de sus nuevas convicciones.

—Representa la Imagen de la *"perfecta, siempre Virgen Santa María, Madre del verdadero Dios por quien se vive, el Creador de las personas, el dueño de la cercanía y de la inmediación, el dueño del cielo, el dueño de la tierra"* (Nican Mopohua).

—Es, además, la Evangelizadora que armoniza la belleza de todas las culturas y aporta el mensaje Cristocéntrico, en todos los tiempos, a todo el universo (Centro de Estudios Guadalapanos, A.C.).

Reflexión, trabajos, compromisos

1) ¿Qué es un códice?
2) ¿De qué material se hacía?
3) ¿Qué es el estilo?
4) ¿Qué significa el símbolo del *quincunce*?
5) ¿Qué expresa el signo del *Nahui Ollin*?
6) ¿Qué nos permite articular el ideograma *Tepetlyácatl*?
7) ¿Cuál es la importancia que tiene para nuestra cultura el hecho de que la Imagen de la Virgen de Gudalupe represente un códice náhuatl?
8) Di y explica la geografía de los cerros que se encuentran en la Imagen.
9) ¿Cuáles y cómo son las constelaciones que se localizan en las estrellas del manto de la Virgen.
10) Concluyendo, cita y explica dos aspectos que te parezcan más importantes acerca de todo lo estudiado en este capítulo.
11) ¿Qué luz dan para el futuro estos descubrimientos y estudios?

SIGNOS Y SÍMBOLOS DE LA IGLESIA Y DE LA VIRGEN DE GUADALUPE

Dinámica de estudio:

1. Estudiaremos ocho rasgos de la Iglesia y nueve de la Virgen de Guadalupe. De cada uno conoceremos:

—El significado del signo y la palabra.

—Una breve reflexión.

—Tres citas bíblicas.

—En, lo referente a la Virgen de Guadalupe tenemos una cita del *Nican Mopohua.*

2. Si son grupos estables, estudian progresivamente todos los signos.

Se reúnen las personas, sean jóvenes, adultos, etc., por equipo, según el signo que les tocó para estudiar... Se les da el tiempo que se estime conveniente.

3. Se elabora una frase donde se resume el signo que estudiaron, y un compromiso. Cada equipo lo presentará a todos en el Plenario. Y tratarán de realizarlo eficazmente.

IGLESIA MISIONERA

El Signo: LA BIBLIA. Son los libros que nos narran la Historia de la Salvación del pueblo de Dios. La Iglesia está en el mundo para anunciar a Jesús y dar testimonio de su fe en él.

Palabra: *MISIONERA.* Enviada a proclamar la Buena Nueva del Evangelio con la vida y la palabra.

Reflexión: La Iglesia es misionera: porque hemos recibido al Espíritu Santo y somos enviados por Jesús a extender su reino de amor, de justicia y de paz.

Mt 28,16-20: Vayan por todo el mundo.

Hch 13,1-5: Les impusieron las manos y los enviaron.

Rm 10,14-17: ¿Cómo predicarán, si no son enviados?

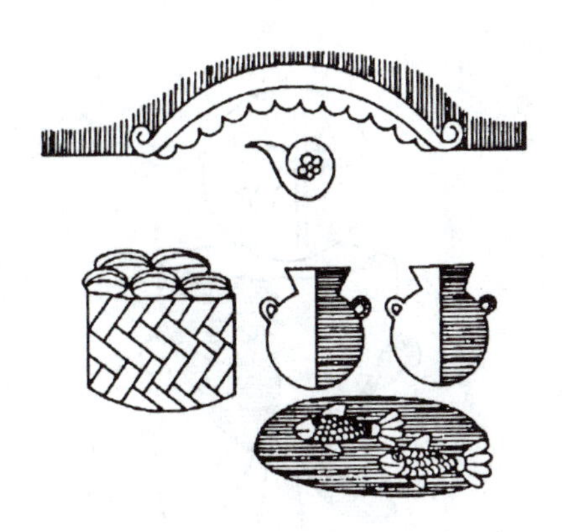

IGLESIA CRISTOCÉNTRICA

El signo: LA CRUZ: Es la señal de los cristianos. En ella Jesús murió para salvarnos, y en ella venció a la muerte.

Palabra: *CRISTOCÉNTRICA.* Cristo es el Ungido, el Mesías, el Enviado del Padre. El mediador. Funda su Iglesia.

Reflexión: La Iglesia es cristocéntrica, se fundamenta en él, y el anuncio es Cristo muerto y resucitado.

Jn 15,1-10: El que permanece en mí, da mucho fruto.

Hch 5,40-42: Enseñar y anunciar la Buena Nueva de Cristo.

Col 1,24-25: Completo en mí la obra de Cristo.

LA DIVINA PROVIDENCIA

El Signo: DIOS PROVIDENTE: Padre de amor, poder, sabiduría y misericordia.

Palabra: Que tu *DIVINA PROVIDENCIA* se manifieste a cada momento para que nunca nos falte casa, vestido y sustento.

Reflexión: "Es Dios quien conduce todo, y jamás será ni más amorosamente ni más sabiamente conducido tu destino".

Mt 6,25-34: Abandono en la providencia.

Gál 4,4-7: la Filiación divina.

Rm 8, 28-39: Himno al amor de Dios.

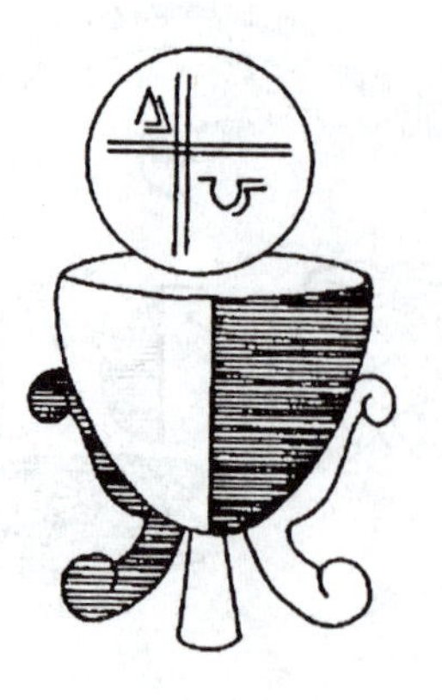

EUCARISTÍA: CENTRO DE LA IGLESIA Y DEL MUNDO

El Signo: COMUNIÓN: Sacramento de amor. Presencia de Dios entre nosotros.

Palabra: *LA EUCARISTÍA:* Es acción de gracias, comunión, comunicación, compartimiento, y compromiso.

Reflexión: La Iglesia vive, se nutre, se extiende, se renueva y se hace comunidad por medio de la Eucaristía.

Lc 22,24-20: Institución de la Eucaristía.

Hch 2,42; 10,37-41: Referente a la Eucaristía.

1Cor 11,23-26: La Cena del Señor.

IGLESIA, COMUNIDAD DE AMOR

El Signo: UN CORAZÓN, que simboliza el amor.

Palabra: *COMUNIDAD* de amor, confianza, fraternidad, unidad, ayuda, apoyo, imitación de Dios Trino y Uno. Dios es comunidad de amor.

Reflexión: La Iglesia es comunidad de amor, porque nos esforzamos en amarnos; es creíble el mensaje de Jesús sólo si vivimos en una comunidad de fe, esperanza y amor.

Jn 17,15-26: Que todos sean uno.

Hch 2,42-47: La primera comunidad cristiana.

1Cor 13,1-13: Himno a la caridad.

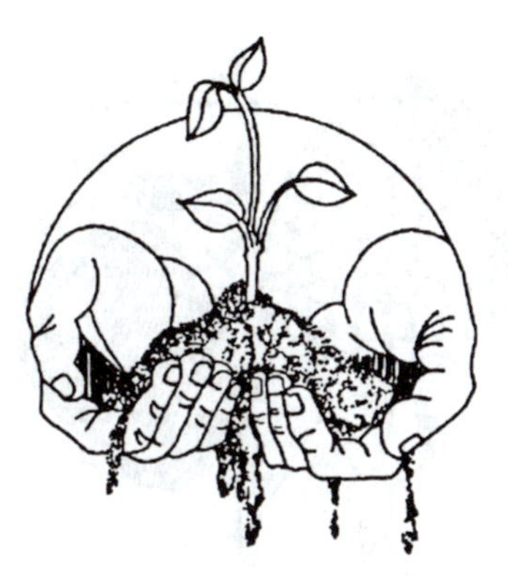

ESPÍRITU SANTO, DADOR DE VIDA

El Signo: EL FUEGO: Que trae vida, luz, amor, purificación y renovación.

Palabra: *ESPÍRITU SANTO:* Que está en nosotros, nos fortalece, orienta, ayuda e impulsa.

Reflexión: El Espíritu nos da los carismas para el servicio a la humanidad.

Jn 20,19-22: Reciban el Espíritu Santo.

Hch 2,1-12: Pentecostés.

1Cor 12,4-11: Diversidad y unidad de los carismas.

IGLESIA QUE CONJUGA FE Y VIDA

El Signo: LAS MANOS Y LA TIERRA: Base de todo trabajo con que nos expresamos, servimos y nos ganamos la vida.

Palabra: *FE:* Crecer confiadamente en Dios, a quien le entregamos la vida. Vida que incluye: trabajo, esfuerzo, sufrimiento y alegría.

Reflexión: La Iglesia nos impulsa a conjugar fe y vida: celebrar la vida con fe y vivir la fe en toda la vida, y así mostrar la fe en las obras.

Mt 7,1-27: Los verdaderos discípulos.

Hch 11,21-30: La Iglesia se propaga.

Sant 2,14-17: La fe y las obras.

IGLESIA DE LOS POBRES

El Signo: MAÍZ, CHILE, ATOLE O CAFÉ: base de la alimentación de los pobres en México.

Palabra: *POBRES:* Los que carecen de bienes, sienten gran necesidad de Dios, y ponen su confianza en él.

Reflexión: La Iglesia de los Pobres: Jesús fue pobre y a ellos en primer lugar evangeliza, sana, libera, promueve y escoge para seguirlo. La Iglesia quiere servir, compartir, promover, trabajar y vivir entre los pobres.

Mt 11,1-6: Testimonio de Jesús.

Hch 4,32-37: La primera comunidad cristiana compartiendo sus bienes.

Sant 5,1-6: ¡Ay de los que explotan a los pobres!

MADRE DE DIOS Y DE LA IGLESIA

El Signo: LA VIRGEN SANTÍSIMA: Madre de Dios y Madre nuestra.

Palabra: *MARÍA DE NAZARET:* Joven que aceptó con fe plena la voluntad de Dios en su vida.

Reflexión: Madre de Dios y Madre nuestra, cuida de que el Evangelio penetre nuestra vida.

Lc 1,26-38: La Anunciación.

Gál 4,4-7: El Hijo de Dios nacido de una Mujer.

Nican Mopohua, 119. ¿No estoy yo aquí que soy tu Madre? ¿No estás bajo mi sombra? ¿No soy yo tu salud? ¿No estás por ventura en mi regazo? ¿Qué más has menester?

INDÍGENA

El Signo: INDÍGENA. La mayor riqueza que posee México, es haber escogido por la Virgen para su mensaje.

Palabra: *LIBERACIÓN, PROMOCIÓN:* Muchos de nuestros hermanos indígenas lo necesitan urgentemente.

Reflexión: Santa María de Guadalupe lo escoge, lo respeta, lo promueve, lo tiene como "digno de toda la confianza".

Lc 4,16-21: Jesús en la Sinagoga de Nazaret.

Ef 3,20-21: Aquél que todo lo puede... con la energía que puso en nosotros.

NM, 58: "Oye, hijo mío el más pequeño, ten entendido que son muchos mis servidores y mensajeros, a quienes puedo encargar que lleven mi mensaje y hagan mi voluntad; pero es de todo punto preciso que tú mismo solicites y ayudes y que con tu mediación se cumpla mi voluntad. Mucho te ruego, hijo mío el más pequeño, y con rigor te mando, que otra vez vayas mañana a ver al obispo".

FLOR Y CANTO

El Signo: FLOR Y CANTO de la poesía náhuatl.

Palabra: *FLOR Y CANTO:* Expresa toda la riqueza filosófica, histórica, literaria y religiosa de nuestros antepasados.

Reflexión: La Virgen de Guadalupe integra la flor y el canto como elemento esencial en sus apariciones y en su mensaje.

Mt 25,14-21: Los talentos.

Is 9,1-2: El pueblo que vivía en tinieblas vio una gran luz...

NM, 8: "Oyó cantar arriba del cerrillo: semejaba canto de varios pájaros preciosos; callaban a ratos las voces de los cantores, y parecía que el monte les respondía. Su canto muy suave y deleitoso, sobrepujaba al del *Coyoltótotl,* y del *Tzinitzcan* y de otros pájaros lindos que cantan".

EL OBISPO

El Signo: OBISPO: Es signo y constructor de unidad. Representa a Dios en la comunidad.

Palabra: *SERVICIO:* Hace de su autoridad un servicio, fomenta la participación y corresponsabilidad, infunde confianza a sus colaboradores.

Reflexión: El Mensaje Guadalupano es esencialmente eclesial.

Mt 16,13-19: Primado de Pedro.

Hch 1,12-14: En oración con María...

NM, 33: "Y para realizar lo que mi clemencia pretende, ve al palacio del obispo de México y le dirás cómo yo te envió a manifestarle lo que mucho deseo, que aquí en el llano me edifique un templo: le contarás puntualmente cuanto has visto y admirado, y lo que has oído".

LAS ROSAS

El Signo: ROSAS: Hermosas, variadas y abundantes, en un lugar y tiempo que no se daban.

Palabra: *TRANSFORMAR:* La Virgen de Guadalupe transforma nuestra realidad, nos hace trascender.

Reflexión: La Virgen pide a Juan Diego traiga a su presencia las rosas, las toca y se las acomoda en el ayate.

Ct 2 11-12: Aparecen las flores en la tierra.

Is 51,3: Se trocó el desierto en Edén.

NM, 137: "Hijo mío el más pequeño, esta diversidad de rosas es la prueba y señal que llevarás al obispo. Le dirás en mi nombre que vea en ella mi voluntad y que él tiene que cumplirla".

LA VIRGEN DE GUADALUPE Y LOS AZTECAS

El Signo: CALENDARIO AZTECA: La Virgen convirtió para Dios a la raza azteca en muy poco tiempo.

Palabra: *TIEMPO:* Santa María de Guadalupe irrumpe en nuestra historia y ésta se convierte en "tiempo de salvación".

Reflexión: Hoy, Santa María de Guadalupe está también presente en nuestra vida, en nuestro tiempo.

Lc 1,39-47: La Visitación.

Is 12,2-3: Mi Dios y Salvador, en quien confío.

NM, 3: "A la sazón, en el año 1531, a pocos días del mes de diciembre, sucedió que había un pobre indio, de nombre Juan Diego, según se dice, natural de Cuauhtitlán. Tocante a las cosas espirituales en todo pertenecía a Tlatilolco. Era sábado, muy de madrugada, y venía en pos del culto divino y de sus mandados. Al llegar junto al cerrillo llamado Tepeyac amanecía y oyó..."

VIRGEN DE GUADALUPE Y LA IGLESIA

El Signo: TEMPLO: El que ella nos pide.

Palabra: *TEMPLO:* El mismo, que ella quiere para hacernos conocer a su Hijo, y en él mostrarnos su amor.

Reflexión: En este templo quiere quedarse con nosotros, ser nuestra Madre que nos brinda compasión, auxilio, defensa.

Jn 19,25-27: María, Madre de la Iglesia.

1Pe 2,4-9: Piedras vivas de la Iglesia.

NM 142: "Contarás bien todo: dirás que te mandé subir a la cumbre del cerrillo para que fueras a cortar flores; y todo lo que viste y admiraste; para que puedas inducir al prelado a que dé su ayuda, con objeto de que se haga y erija el templo que he pedido".

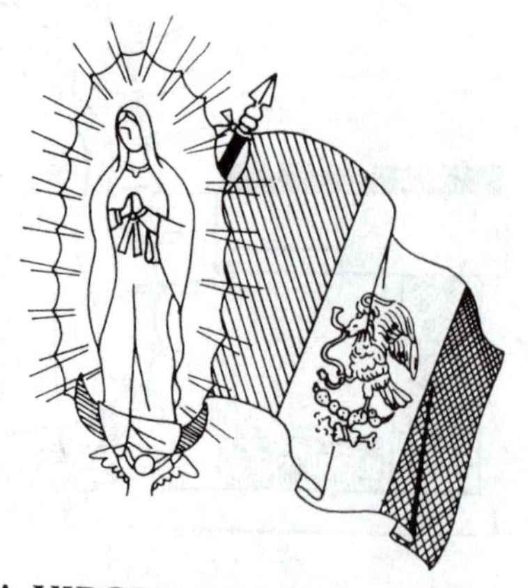

LA VIRGEN DE GUADALUPE Y LA PATRIA

El Signo: BANDERA: Desde el principio, la Virgen de Guadalupe ingresa definitivamente en nuestra historia patria.

Palabra: *PATRIA:* La Independencia de México se llevó a cabo con y por medio de la Virgen de Guadalupe: nuestros héroes fueron muy guadalupanos.

Reflexión: América Latina, y especialmente México, se simboliza en el resto mestizo de María de Guadalupe, que se yergue al inicio de la evangelización.

Dt 7,6-9: Pueblo escogido por Dios porque lo ama.

Mt 22,15,21: Dad al Cesar...

NM, 120: "No te aflija la enfermedad de tu tío, que no morirá ahora de ella: está seguro de que ya sanó".

LA VIRGEN DE GUADALUPE Y CADA PERSONA

El Signo: PERSONAS: Jóvenes, adultos, niños. La verdadera Iglesia somos nosotros.

Palabra: *TEMPLO:* Cada persona es, por su bautismo, "templo de Dios".

Reflexión: Tenemos un compromiso: Hacer de nuestra vida un culto a Dios. Hacer de nuestra casa una Iglesia doméstica.

Jn 2,13-22: Cristo, Nuevo Templo.

1Cor 6,19-20; Ustedes son templo del Espíritu Santo.

Rm 12,1-2: Ofrezcan su cuerpo como víctima santa.

NM, 183: "Desenvolvió luego su blanca manta, pues tenía en su regazo las flores; y así se esparcieron por el suelo las diferentes rosas de Castilla. Se dibujó en ella y apareció de repente la preciosa Imagen de la siempre Virgen Santa María, Madre de Dios".

CRONOLOGÍA DE ALGUNOS HECHOS DEL MÉXICO GUADALUPANO

1325. Los aztecas se establecen en un islote de la laguna de Texcoco. Aquí encontraron un "águila que, parada sobre un nopal, devoraba una serpiente". Este símbolo es el escudo de armas de la Nación Mexicana y se puede ver en la bandera y en sus monedas.

1505. Moctezuma II es elegido Emperador. Su hermosa capital es México-Tenochtitlán: Mexi es su dios, Huitzilapochtli y Tenoch sus caudillos.

1509. La Princesa Papanizin, hermana de Moctezuma, según la leyenda, tiene la visión de un ángel con una cruz en la frente.

1519. Marzo 12: Hernán cortés desembarca en lo que hoy es Veracruz. Hace amistad con los jefes de Cempoala. Corre la noticia de que los hombres blancos van a librar a los pueblos del vasallaje a Moctezuma.

1519. Noviembre 8: Cortés llega a Tenachtitlán. Moctezuma II, temeroso por las profecías y la visión de su hermana, recibe a Cortés en paz.

1520. Moctezuma es depuesto y muere. Cuitláhuac arroja a los españoles de Tenochtillán.

1521. Después de 93 días de valiente resistencia por parte de los aztecas, es capturado el último Emperador, Cuauhtémoc en Tlatelolco, hoy plaza de las tres culturas.

1525. La Princesa Papantzin se bautiza en la Parroquia de Santiago de Tlatelolco, y recibe el nombre de Doña María.

1525. Cuauhtlatóhuac (el que habla como águila) se bautiza y recibe el nombre de Juan Diego, su esposa el de María Lucía, y su tío el de Juan Bernardino.

1531. Diciembre 9: **Primera Aparición** de la Virgen del Tepeyac. Juan Diego va a misa a Tlatelolco desde su casa de Tulpetlac. De madrugada ve a la Virgen y habla con ella, que lo envió a ver al obispo para pedirle que le edifiquen un templo.

Segunda Aparición, por la tarde trae la respuesta del obispo, la Virgen le pide que vuelva al día siguiente con el sacerdote para insistirle sobre el templo que ella desea.

1531 Diciembre 10: *Tercera Aparición,* Juan Diego regresa con el obispo y después de muchas preguntas, el padre le pide una señal. La Santísima Virgen le promete la señal para el día siguiente. Al llegar a Tulpetlac Juan Diego encuentra a su tío enfermo.

1531. Diciembre 11: Juan Diego olvida su cita con la Madre de Dios, porque su tío empeora y él lo cuida.

Diciembre 12: Cuarta aparición. En su camino a Tlatelolco para traerle un sacerdote a su tío moribundo, Juan Diego se encuentra con la Señora del cielo. Se disculpa de no poder cumplir el encargo de llevar la señal al obispo. Ella le dice que su tío está curado y le manda cortar unas rosas como señal para el obispo.

Quinta Aparición: A Juan Bernardino. Lo sana y le revela su nombre, cómo quiere llamarse.

Diciembre 12: Al entregar las rosas que Santa María da como señal, aparece su Imagen en la tilma de Juan Diego. Se puede aún apreciar este portento en la Basílica del Tepeyac.

1531. Diciembre: La milagrosa Imagen se expone a la veneración de los fieles, primero en la capilla del obispo y luego en una ermita construida rápidamente donde ella la pidió.

1531. *Diciembre 26:* Solemne traslación de la Imagen a su primera ermita. En el trayecto un danzante muere atravesado por una flecha. La Virgen hace su primer milagro y lo resucita.

1538. A los 7 años de las apariciones, 8 millones de aztecas se han convertido a la fe católica. Catecismo prodigioso es la misma Imagen que les enseña las verdades de la fe, según su mentalidad. Milagro Guadalupano.

1544. Mayo 15: Juan Bernardino muere en Tulpetlac, a los 84 años de edad.

1545. El Nican Mopohua. Entre 1540-45. Don Antonio Valeriano escribe en náhuatl el relato de las Apariciones.

1548. Juan Diego muere en el Tepeyac, a la edad de 74 años.

1556. Don Alonso de Montúfar, segundo obispo de México, construye la Tercera Ermita (algunos la llaman segunda, pues la anterior sólo la habían ampliado los paisanos de Juan Diego). La decoró y colocó en ella gran cantidad de lámparas de plata. Aquí recibió culto durante 66 años.

1570. El arzobispo Montúfar envía inventario del arzobispado al rey Felipe II, en él menciona la Ermita de Guadalupe en el Tepeyac.

Adjunta una copia de la Virgen tocada a la original. Esta imagen tuvo mucha importancia en la victoria de Lepanto, en 1571.

1600. 10 de septiembre. Se coloca la primera piedra para el nuevo templo de la Virgen de Guadalupe.

1622. Noviembre. El arzobispo D. Juan Pérez de la Serna inaugura un nuevo santuario o primer templo; aquí recibió culto sólo 72 años. Su devoción iba en aumento y este primer templo pronto fue insuficiente.

1647-1657. El bachiller Luis Lasso de la Vega, vicario de Guadalupe, construye el segundo santuario provisional (Parroquia o Iglesia de los Indios). Aquí se veneró la Imagen durante 14 años, de 1695-1709. Luis Lasso publica el *Huey Tlamahuizoltica.*

1649. Se terminan las obras del templo llamado Iglesia de los indios y en donde, desde 1649 estará depositada la Imagen de Nuestra Señora de Guadalupe.

1666. Se construye una capilla en el Tepeyac donde la Virgen se apareció por primera vez y donde Juan Diego cortó las rosas: "La Capilla del Cerrito".

1667. Por Bula del Papa Clemente IX, se instituye como día de fiesta, en honor de la Virgen de Guadalupe, el día 12 de diciembre.

1675. 11 de diciembre: D. Isidro Sarina propone la construcción de 15 "torreones" correspondientes a los misterios del Rosario en la Calzada de Guadalupe.

1676. 14 de agosto: Se termina la construcción de la calzada de Guadalupe, conocida más tarde por la Calzada de los Misterios.

1685. 24 de junio. El arzobispo de México, D. Francisco de Aguilar y Seijas, pone la primera piedra del nuevo templo de Nuestra Señora de Guadalupe.

1695. 5 de agosto. Se inicia la construcción del nuevo Santuario de Nuestra Señora de Guadalupe, previa licencia del arzobispo Aguilar y Seijas, para demoler el antiguo y depositar, entre tanto, la Imagen de la Virgen de Guadalupe en la que luego será Parroquia, la cual se ha hecho desde junio de 1694.

1709. 27 de abril. Se bendice el nuevo Santuario de Nuestra Señora de Guadalupe, trasladándose la Santa Imagen de la Parroquia al Santuario, el 30 del mismo mes. Es causa de grandes fiestas en las que participan las autoridades religiosas y civiles, en medio del alborozo del pueblo.

1725. 9 de febrero. El Papa Benedicto XIII decreta que el Santuario de Guadalupe pase a ser Insigne y Parroquial Colegiata servida por un abad y diversos canónigos y otras dignidades menores.

1751. En acción de gracias por haberlos salvado del naufragio unos marineros llevan el mástil de su barco hasta el Tepeyac. Es el origen del monumento de la Vela de los marinos erigida en 1942.

1754. Abril 24: La Sagrada Congregación de Ritos concede misa y oficio propios de Nuestra Señora de Guadalupe.

1754. Mayo 25: El Papa Benedicto XIV promulga una Bula aprobando a la Virgen de Guadalupe como patrona de México. Aplica el Salmo 147: "No ha hecho cosa semejante con ninguna Nación".

1777. Junio 1: Se inicia la construcción de la capilla del Pocito, por el arzobispo Nuñez de Haro y con la ayuda general. Se termina en 1791, y es una de las más hermosas del mundo. Situada al lado oriente de la plaza.

1802. Se construye en Cuauhtitlán una capilla en el lugar donde nació Juan Diego, se termina en 1810.

1810. Septiembre 15: El cura D. Miguel Hidalgo alza el estandarte de la Virgen de Guadalupe como lábaro de la Independencia; comienza la guerra de Independencia de México y de varias naciones de Centroamérica.

1821. Octubre 12: El consumador de la Independencia de México, libertador, D. Agustín de Iturbide, va a dar gracias y a poner la Nueva Nación en manos de la Guadalupana. La proclama como Patrona y funda la Orden de Guadalupe.

1828. El Congreso declara el "12 de diciembre fiesta Nacional".

1858. Agosto 11: Don Benito Juárez, Presidente, decreta el 12 de diciembre "Fiesta Nacional".

1887. 2 de octubre: Se inician los trabajos para la construcción del nuevo altar mayor de la Colegiata de Guadalupe.

1888. 23 de febrero. Traslado de la Imagen de Nuestra Señora de Guadalupe al templo de las Capuchinas, en donde permanecerá hasta 1895.

1895. Octubre 12: Primera Coronación Pontificia de Nuestra Señora de Guadalupe. Autorizada por el Papa León XIII. Aparece el Himno Guadalupano. Hasta 1975 ha tenido 160 Coronaciones Solemnes en diferentes lugares, 19 pontificias.

1895. Octubre 12: El siervo de Dios, Exmo. Ramón Ibarra, implanta y bendice la Cruz del Apostolado, en el atrio de la Capilla del Cerrito (fue renovada en 1918 por el siervo de Dios Félix de Jesús Rougier, y en 1955 por el P. Juan Manuel Gutiérrez M.Sp.S.).

1900. El Concilio Plenario Latinoamericano obtiene del Papa la fiesta de Guadalupe para toda la América Latina.

1904. 9 de febrero: El Papa Pío X eleva a la Colegiata de Santa María de Guadalupe a la categoría de Basílica. El 24 de mayo se procede a la erección correspondiente.

1910. 24 de agosto: El Papa Pío X declara a la Virgen de Guadalupe Patrona de América Latina.

1921. Noviembre 14. Explota una potente y sacrílega bomba de dinamita ante la Imagen; causa cuantiosos daños, pero la bendita Imagen sale ilesa. Esa bomba criminal había sido escondida en un ramo de flores.

1929. El fotógrafo D. Alonso Marcué González afirma que se descubrió una figura humana en el ojo derecho de la Imagen de la Virgen de Guadalupe, informa a las autoridades eclesiásticas, pero le piden que no publique esto, sino hasta después de que sea seriamente estudiado.

1930. 26 de junio: Se inician las obras de consolidación y restauración de la Basílica de Guadalupe, para celebrar las fiestas del IV Centenario.

1931. Gloriosa Celebración del IV Centenario de las Apariciones.

1932. 25 de mayo: Se inaugura el reloj de la Basílica traído de Alemania. Sus campanas reproducen, al dar las horas, la música del Himno Guadalupano y de otras plegarias marianas.

1932, 1933. Se realizan exploraciones arqueológicas en el templo llamado de los Indios, y en la sacristía del mismo, localizando vestigios de la primera ermita levantada por Fray Juan de Zumárraga.

1933. Año Jubilar de la Redención. El 10 de diciembre. Coronación Pontificia en Roma por la Imagen de Guadalupe; los festejos se prolongan hasta el 12 de diciembre, celebrando en San Pedro el Patronato Internacional Guadalupano. El papa Pío XI la declara de nuevo Patrona de América Latina. Quinientos obispos solicitan del Papa la extensión del Oficio y de la misa a todo el mundo.

1939. Agosto 17: El Exmo. John J. Cantwell manda colocar la bandera de los Estados Unidos ante el altar del Tepeyac.

1941. Octubre 12: Colocación de las banderas de las naciones Americanas frente a la basílica por los diplomáticos, representando a sus ilustres países.

1944. Año Jubilar. Diciembre 12: Centenares de miles de obreros guadalupanos van en peregrinación a la Basílica o a los Santuarios Guadalupanos.

1946. El Lic. Garibi Tortolero descubre que la pintura no muestra ninguna señal de pinceladas, ninguna señal de que haya sido pintada con medios humanos. Conmemoración del segundo centenario del Patronato de Guadalupe sobre la nación mexicana. Peregrinación de 200 000 obreros al Tepeyac. El gobierno construye la Calzada de Guadalupe desde la Glorieta de Peralvillo hasta la Basílica, se termina el 5 de diciembre.

1951. Diciembre 31: El artista Mario Moreno Cantinflas colecta millones de pesos para las obras de la Plaza monumental. Carlos Salinas nota unas figuras humanas en los ojos de la Virgen.

1955. En Tulpetlac, un joven descubre una cruz de piedra que señalaba el lugar donde la Virgen se le apareció a Juan Benardino.

1955. Diciembre 11: Se anuncia por radio que la imagen en el ojo de la Guadalupana se ha identificado como Juan Diego. Se la corona en el Tepeyac como Reina del Trabajo. Un millón de fieles visitan la Basílica.

1958. 12 de octubre: La Virgen de Guadalupe es coronada "Reina de los Mares": por lo cual se coloca una escultura de bronce en Acapulco, a 6 metros de profundidad.

1963. 17 de mayo: El gobierno municipal de Cuauhtitlán levanta una estatua a Juan Diego.

1966. 31 de mayo: El cardenal Confalonieri entrega la rosa de oro a la Virgen de Guadalupe, enviada por el Papa Paulo VI.

1970. Arreglos del gobierno para hacer del Tepeyac un hermoso parque.

1974. 12 de diciembre, se coloca la primera piedra de la nueva Basílica.

1976. 11 de diciembre: Dedicación de la nueva Basílica de Santa María de Guadalupe, presidida por el arzobispo primado de México, Card. D. Miguel Darío Miranda.

1976. 12 de octubre: El arzobispo primado recibe las llaves de la Nueva Basílica en mano de los ingenieros y arquitectos. Y en solemne procesión es trasladada la Imagen de Nuestra Señora de Guadalupe, en medio de la multitud que colma tanto la antigua Basílica como la Plaza de las Américas y el amplísimo recinto de la nueva Basílica. Asiste el Episcopado Nacional en pleno y concelebran la Eucaristía.

Reflexión, trabajos, compromisos

1) De esta cronología, ¿qué aspectos te son conocidos y cuáles son novedosos?
2) ¿Qué te llamó la atención de esta breve cronología?
3) Te lleva esta reflexión a consecuencias prácticas, cómo y por qué?
4) Debemos ser como Juan Diego, Juan Bernardino, Antonio Valeriano, etc., evangelizadores ardientes, entusiastas, audaces, de por vida, que transmitan con fe y alegría a las generaciones presentes y futuras la "Buena Nueva del Tepeyac". ¿Cómo lo vas a realizar, personal y comunitariamente?

BIBLIOGRAFÍA

Aste José. *Los ojos de la Virgen de Guadulupe.* Editorial Diana. Tlacoquemecatl. México 1987.

Album Conmemorativo del 450 Aniversario de las Apariciones de Nuestra Señora de Guadalupe. Ediciones Buena Nueva. México 1981.

Betancourt José A. *Cristo Rey en México* (sept. y oct.) *Don Miguel Hidalgo, Cura de Dolores,* Gto. 1960.

Clavijero Francisco. *Historia Antigua de México y de su Conquista.* Dublan y Cía. México 1883.

Chavero Alfredo. Facsímil. *Obras históricas de Don Fernando de Alva Ixilixóchill.* México 1965.

Escalada Xavier, S. J. *Santa María Tequatlasupe.* Imprenta Murguía, 1978.

Fernández Francisco, Rafael García, etc. *México y la Guadulupana,* 1931.

Feans Pérez Manuel. Santa María, Nuestra Señora de las Américas. Copyright de Guadalupe 1976. Los Angeles, California.

Fragoso Alberto. *Vida del siervo de Dios Juan Diego. El Cerrito, casa de Juan Diego en Cuauhtitlán.*

Kinsborough. *Tira de la Peregrinación. Códice Boturini, "Antigüedades de México".* Secretaría de Hacienda y Crédito Público. México 1964.

La Virgen María en el culto de la Iglesia. Jornadas Nacionales de Liturgia. Madrid 1988.

Morali Ernesto. *El Milagro de las Apariciones de Nuestra Santísima Virgen de Guadulupe.* Herrero, Hnos. México 1954.

Pouilly Alfredo. *En toda circunstancia la Palabra de Dios, repertorio de lecturas bíblicas.* Comisión Episcopal de Liturgia, Chile.

Rodríguez Jesús María. *Semblanzas Guadulupanas 2. Raíces indígenas del Guadalupanismo.*

Rodriguez Jesús María. *Mensaje Social del Guadalupanismo.* Secretariado Social Mexicano. México 1966.

Rodríguez Jesús María. *El Guadalupanismo: Ayate Social.* Editorial Hombre. Deleg. Cuauhtémoc. México, D. F.

Rojas Mario. *Traducción del Nican Mopohua.* Huejutla, 1978.

Rojas Mario. Hernández I. J. Homero. *Las Estrellas del Manto de la Virgen,* Méndez Oteo F. México 1981.

Romero José Antonio, S.J. *Cincuentenario Guadalupano 1945. Album conmemorativo de las fiestas celebradas en la Insigne y Nacional Basílica de Santa María de Guadulupe con motivo del Quincuagésimo Aniversario de la Coronación de su Celestial Imagen. 1895-1945.*

Rovelo Cecilio, *Diccionario de Mitología Náhuatl.* Ed. Fuente Cultural, México 1951.

Sahagún Fray Bernardino. *Historia General de las cosas de la Nueva España.* Editorial Porrúa. México 1951.

Siller Clodomiro. *La Evangelización Guadulupana,* CENAMI. Estudios Indígenas No. 1 1987.

Siller L. Clodomiro. *La Evangelización Guadulupana.* Estudios Indígenas. Vol. III No. 2 Marzo 1981.

Velázquez Primo Feliciano. *La Aparición de Santa María de Guadalupe.* Tlalpan, México D. F. 1931.

Histórica: *Órgano del Centro de Estudios Guadalupanos,* A.C. Editorial Hombre, México D. F.

Horizontes Culturales Mesoamericanos. Editorial Progreso, S.A.

ÍNDICE

Se terminó de imprimir en los talleres de EDICIONES PAULINAS, S. A. de C. V. - Av. Taxqueña No 1792 - Deleg. Coyoacán - 04250 México, D. F., el 30 de Octubre de 1998. Se imprimieron 3,000 ejemps. más sobrantes para reposición.